ごはんの法則

酒 井 順 子

幻冬舎文庫

ごはんの法則

空腹編

小腹編

腹八分目編

満腹編

空腹編

グジュッとしたトースト

会食などしていて、何かの拍子でふと会話が途切れてしまった時。私はよく、「嫌いな食べ物は何か」という話をします。「好きな食べ物は何か」という話でも良いのですが、他人を褒《ほ》めるお話を聞くより悪口を聞く方が楽しいように、嫌いな食べ物をネタにした方が、座は盛り上がるようです。

とはいえ嫌いな食べ物がたくさんある人の話は、聞いていてもあまり面白くありません。要するにその人は「偏食」なのであり、その手の人の食の好みというのはたいてい似ているからです。椎茸《しいたけ》、人参《にんじん》、セロリにゴボウといった物が嫌いで、メロンにカレー、マヨネーズあたりが、好物。つまり、「食の好みが子供のままの人」、でしかありません。

興味深いのは、絶対に食べられない物が一個か二個ある、というケース。「どうしても苺《いちご》が食べられない。あの表面のツブツブを見ていると、寒気がしてくる」という人の話は、精神の奥深いところの物語を感じさせます。また「キュウリはどうしても駄目。サンドイッチに一枚でもはさまってると、嚙《か》む前にその瓜《うり》科特有の匂《にお》いでわかる」という話は、先祖が河童《かっぱ》と因縁があったのではないか、という想像がかきたてられる。

私にも嫌いな食べ物はあります。が、私は視覚や嗅覚《きゅうかく》、味覚といった感覚よりも、触覚によって「嫌い」と判断する方です。私は、「グジュッ」とした物が駄目なのです。

子供の頃、ウィークデーの朝食はいつもパンでした。大皿の上に、サラダと卵料理、そしてトーストが一緒に盛られています。この朝食の席で、私は非常な絶望感に襲われることがありました。

原因は、トーストです。たまに、サラダの水分がトーストの端っこに染みて、その部分だけ「グジュッ」となっていることがあったのです。パッと見ただけではそのことはわかりません。が、トーストを口に入れた瞬間、舌先に「グジュッ」が当たり、総毛立つ思い。朝っぱらから体力を消耗しました。

最初はカリッとしているトーストだって、口の中で嚙むうちにグジュッとしてくるのだからいいじゃないか、という話もあります。しかしトーストは、〝これは、カリッとしている食べ物だ〟と信じて口に入れる物。舌は、あのザラッとしたトーストの感触しか期待していません。嚙むうちにだんだんグジュッとなるのならいいのですが、「カリッ」を待っているところにいきなり「グジュッ」がくると、舌が拒否反応を起こすのです。

だから、最初から〝これはグジュッとしているものなのだ〟と思って口に入れるフレンチトーストは、問題ないのです。あのグジュグジュ具合が、舌にとって快感ですらある。

あくまでも、予定調和を求めたいのです。

　こんな私ですから、「熟れすぎた果実」は、苦手です。〝サクッとした歯ざわりだろう〟と思って口に入れた林檎《りんご》は、もう盛りの季節が過ぎて少し柔らかめだった。シャキシャキと噛むつもりで西瓜《すいか》にかぶりついたら、種の周囲が熟れてグジュッとしていた。そんな瞬間、私の舌と歯の機能は停止し、咀嚼《そしゃく》することすらできなくなってしまいます。

「グジュッ」が嫌いな理由は一体何なのか。幼い頃に何か嫌なことがあったのか、それとも前世の記憶か……？　分析したら、私の性格上のものすごい汚点が暴かれてしまいそうで、ちょっと恐い気がします。

恐怖の黒豆

私は一人暮らしをしています。たまに料理も作ります。そして、とてもずぼらな性格です。この三つの条件が重なった時に起こる現象。それが、「食物の腐敗」。食物の腐り方は、色々です。ある時、私は好物の洋梨《ようなし》を買ってきました。まだ熟しきっていなかったので、〝もう少し置いておこう〟と冷蔵庫の上に、放置。何日かすると、洋梨を買った時の興奮状態が、薄れてしまいました。何となく皮をむくのが面倒だな、という気分になって、そこに洋梨があることを見て見ぬフリをしてしまったのです。

時は瞬く間に過ぎました。〝さすがにもうそろそろ……〟と思って冷蔵庫の上を見ると。なんと、あの特徴ある女体型の洋梨の下半身部分が、無くなっているのです。なっ、なぜ……？と思ってよく見ると、下に液体が溜《た》まっている。どうやら、腐って溶けて、液状になったらしいのです。梨は腐ると水になる、ということが初めてわかりました。

また、母親から正月にもらった黒豆。ある年齢以上の女性は、自分が煮た黒豆をしきりに他人に食べさせたがるものですが、私の母親も例外ではありません。正月明け、空瓶に黒豆をギッシリとつめて、私に持たせたのです。

しかし、一人暮らしの女性というのは、あまり黒豆を食べるきっかけを持たないものです。私はほとんど家にいるのですが、昼食のサンドイッチと一緒に〝黒豆でも食べるか〟という気分には、なかなかならない。瓶詰はどんどん冷蔵庫の深部へと押しやられました。そして気がついたのが四月。〝こういう物は案外と平気かも……〟と、超楽観的な考えで、でも恐る恐る瓶を開けてみると。

そこには、ゲル状の黒豆がありました。往年の紅茶キノコのようでとても身体《からだ》には良さそうな見かけでしたが、とても食べる勇気はなかった。〝もうひとふんばりすれば、納豆になっていたかも〟と思いつつ、ごめんなさいをした私だったのでした。

本当はこの黒豆、四月になって初めて気づいたわけではなかったのです。もっと前から「あそこにマメの瓶がある」ということは、心のどこかにひっかかっていた。でもその時は、黒豆が腐っているのか大丈夫なのか、非常に微妙な時期だったのです。

〝今、「あっ、こんな所に黒豆が」なんて発見しちゃったら、食べざるを得なくなる。でもそれであたっちゃったら？「二月の黒豆にはご用心」なんていかにも新聞の家庭面に出そうなタイトルだしな……〟と思い、見て見ぬフリをしてしまった。

食物を腐らせるのは、嫌なことです。飽食の時代に育った私達ですが、食物を捨てる時は〝お天道様に申し訳ない〟と罪悪感にさいなまれます。そして腐った食物というのは、見て良い気持ちになるものでは決してない。大学時代、クラブの合宿所で酷暑の時期、炊いた白米の残りが一週間お釜に入れっぱなしだったことがあります。何も知らずにその釜を開けた私が味わった恐怖は、どんなホラー映画にも勝るものだった。後にも先にも、あれほど素早くお釜の蓋《ふた》を閉じたことはありません。

「俺は、腐ったミカン（リンゴだったっけか？）なんかじゃねぇッ！」とは、初期の「3年B組金八先生」で、不良の加藤優が叫んだ言葉です。加藤君と違い、私の根性はかなり腐っているとは思いますが、まずは食物を腐らせないように、気をつけたいと思う昨今です。

コンビニ年齢活断層

若者にとって、コンビニは無くてはならない存在です。もはやライフラインの一部、と言ってもいいでしょう。十年ほど前までは、

「私、どうしてもコンビニのおむすびってうまくノリが巻けないのぅ」

などと言ってカマトトぶる女性がいたものですが、最近ではそんなことを言っていると、〝バカか？〟と思われてしまいます。

コンビニに対する意識というのは、世代によってかなり異なるようです。現在四十代以上、つまり大人になってからコンビニが身近なものになった人達は、コンビニを利用することに対して、多少の罪悪感を持ってしまうようです。彼等は、日本が貧しかった時代の記憶を多かれ少なかれ、持っています。従って「便利なこと」に対しては、とまどいを感じてしまうのです。食事を作るにしても、冷凍食品やできあいの物を買うのは、非常に後ろめたい。日常生活において「手間を省く」ということに対してお金を払うのは、罪悪だと感じてしまうのです。

そんな彼等が、コンビニに対して良い感情を抱くはずがない。ついうっかり切らしてし

まった牛乳、くらいは買ったことがあるけれど、どうも普通のスーパーで買う牛乳よりも品質は落ちるような気がしてしまう。当然、食品をそこで調達するなど、思いもよらない。多少遠くても、大手スーパーや専門店を選ぶのです。

二十代後半から三十代の人々は、もっとコンビニに対して寛容です。子供の頃に、駄菓子屋に代わってコンビニができはじめ、コンビニ＝「オヤツを買うところ」としての認識は、しっかり持っている。だから、お菓子や飲み物、雑誌などを買うことには全く躊躇《ちゅうちょ》しないのです。

しかし、彼等もコンビニを完全に受け入れているわけではありません。この年代の人の中には、「コンビニのおむすびは食べられるけど、どうしてもお弁当は食べる気がしない」という人がかなり存在します。彼等にとってコンビニは、「オヤツを買うところ」ではあっても、「食事を買うところ」ではないらしいのです。おむすびとお弁当との間に、実は世代の溝が隠れている、と。

対して、二十代前半より若い人々。彼等は、何の偏見も無くコンビニを利用している世代です。物心ついた時から、コンビニはあった。小学生の時は、塾の帰りにはコンビニでお湯を入れてもらったカップラーメンをすすったし、高校時代、親にもらったお金でお昼にコンビニの弁当を買った。彼等は、上の世代がなぜコンビニの食べ物に対して嫌悪感を抱くのか、理解できません。

私は、おむすびは買えるけれど弁当は買えない世代に属する人間です。実はおむすびを買う時もちょっとだけ恥ずかしくて、レジに並んでいる時、『えーっと私はこれで食事を済ませようなんて思ってるわけじゃなくて、ちょっと小腹が空《す》いちゃってたまにはツナのおむすびもいいかなーって思っただけのことで……』などと、心の中で一生懸命に言い訳を叫んでいる。

しかし一緒に並んでいる若い女の子を見てみると、全く恥じらいもせず堂々と、チキンカツ弁当とプリンを持っているのです。そこにはみじんも罪悪感は無い。チキンカツ弁当が羨《うらや》ましいような羨ましくないような複雑な気持ちを抱いてしまう、昼下がりのコンビニなのです。

アーンして……

私は時折、「食事に対する知恵熱」というのを出すことがあります。すごく特徴的な食事をすると、その個性にアテられてというか圧倒されてというか、後から発熱してしまうのです。

たとえば、カジュアルなイタリアンレストラン「C」。ここは、一皿の量が非常に多いのが特徴です。パスタでもサラダでも、それこそ山のように盛られて出てくる。若者が大勢で行くようなお店です。私はその店に行くと、目の前に盛られる量のあまりの多さに、ヤラれます。そして帰宅後、必ず熱を出す。

もう一軒のお店。それはワインが豊富と評判の港区にあるレストラン「T」でした。薄暗い、穴蔵のようなお店に入ると、お店のお姉さん（もちろん初対面）が、

「こんにちはぁー、待ってたのよーぅ」

と、抱きつかんばかりに迎えてくれます。しかし私はその店に来たのは初めて。ちょっと宗教の薫りがするフレンドリーさに、私の体温はちょっと、上がります。

料理は、非常においしいのです。ワインも、あまり飲めない私ですが〝おいしい〟と思

う。しかしそれらのサーブのされ方が、あまりに個性的でした。料理もワインも、すべてを件《くだん》のお姉さんが情感たっぷりに説明してくれます。

「このワインはねーぇ、朝もやの中を白い馬に乗った王子様が向こうから歩いてくるっ、て感じで、とおおってもおいしいのよ」

などと語るお姉さんの視線は、王子様を待つお姫様のように、宙に漂っている。

極め付きは、フォアグラが出てきた時でした。私達四人に対し、一皿のフォアグラが出てきました。するとお姉さんは、

「もーぅこれは絶対に生きていてよかった！　って思っちゃうようなお味よぉ……」

と頬《ほお》を紅潮させながら言ったかと思うと、スプーンでそのフォアグラを一口大にすくい、いきなり、

「はい、アーンして」

と、私に差し出すではありませんか。

「アーン」って、あの「アーン」か……？　と私は一瞬激しく混乱しましたが、なおもお姉さんは口の前にスプーンを差し出し続けています。恐る恐る、アーンすると、お姉さんは私の口にフォアグラを滑り込ませ、

「ささささっ、それを噛《か》まずにこのワインを一口飲んで、お口の中でクチュクチュってやっ

てみて！　一生の思い出になるわ！」

とけしかけます。

さらにお姉さんは、「アーン」と「クチュクチュ」を、他の三人に対しても（同じスプーンで）行いました。たしかにフォアグラとそのワインの組み合わせは非常においしかったのだけれど、あまりのことに私達はアゼンとするばかりだった。

そのレストランでの食事は、四時間かかりました。料理が出る間隔がゆっくりなのと、おねえさんの詩のような解説が長いからです。一軒のお店で疲れ果てた私が家に帰ったのは、深夜。そして私は、翌日から高熱を出したのでした……。

以降、「T」に行った四人の間では、しばらく「アーン」が流行《はや》り言葉になったことは言うまでもありません。もう一度「T」に行けと言われても行く勇気はなかなかありませんが、今となってはあの四時間が、夢かうたかた、はたまた竜宮城での体験だったような気がして、ちょっと懐かしいのです。

他人がむいた果実

子供の頃、家族で外食をした時に母親が、

「自分で作った物でなければ何でもおいしく感じるわーァ」

とつぶやいたことを、覚えています。私は、その言葉の意味がよくわかりませんでした。母親が作る料理はおいしい。なのに何で「自分で作った物でなければ何でもおいしい」のか。「ふぅん」などと、ナマ返事をしながら、疑問に思った私でした。

しかし今、一人暮らしをしてみて、その意味が何となく、わかるのです。一人で仕事をしている、お腹《なか》が空いてくる。すごく面倒なのだけれど、何か食事を作る。

すると、作っている間になぜか空腹が治まってしまうのです。おそらく食べ物をいじっているうちに、空腹感がこなれてしまうのでしょう。ものすごくお腹が空いている時に、目の前に食べ物がパッと出てきてそれをがっつく、というのが最もおいしい食事の方法だと思うのですが、そうはならない。自分が作ったものは、まずくはないけれど、新鮮な感激もないのです。

さらに主婦の場合は、毎日毎日、三食作らなければなりません。平野レミさんのような人でないかぎり、献立を考えるのも、作るのも、いい加減に飽きるだろう。「自分が作ってなければ何でもおいしい」というのも、納得できます。

さらに、私は最近、果実において同じことを感じるようになりました。果物《くだもの》というのは、意外と食べるのに手間がかかるのです。イチゴだって、洗ってヘタをとらなければならない。リンゴも梨《なし》も、皮をむかなければならない。まだそれくらいなら私にもどうにかなりますが、問題は柑橘類《かんきつるい》です。

夏ミカン、はっさくに甘夏といったものが私は子供の頃から好きでしたが、この頃はトンと食べなくなりました。単純に、むくのが面倒だからです。実家にいた頃は、母親にむいてもらった夏ミカンを食べていた。しかし今は、自分でむかなければならない。その面倒臭いことと言ったら！

世の中の普通のお父さんというのは、「いかに夏ミカンをむくのは大変か」ということを知らずに一生を終えるのでしょう。厚い皮をむき、一つ一つの袋に切り込みを入れ、果肉と分離しにくい背の部分からも、ていねいに袋を取りのぞく。一個むくのにも大変な労力だというのに、食べるのはあっという間。「よく頑張ってむいたね」などとは誰もねぎらってくれないのに、世の中のお母さん達は黙々と、夏ミカンをむいているのです。

それはひとえに、夫だの子供だの、「この人に夏ミカンを食べさせてやりたい！」と思う対象がそこにいるから、なのでしょう。しかし私は、一人。〝あんな大変な思いまでして、夏ミカンを食べたくないよなぁ〟とすぐに思ってしまい、いただきものの夏ミカンはずっと冷蔵庫の上に。

気分が乗った時にむいてみることもあるのですが、むいているうちにササクレに夏ミカンの汁が染みてヒリヒリするし、汁が飛んで手も机もベトベトに。〝どっかに夏ミカンむいてくれるバイトの子、いないかなぁ〟などと思いながらすっかりむけた頃には、もう食べたくなくなっていたりするのです。

ということで私の今の好物は、「他人がむいた夏ミカン」。いつまでもむかれない夏ミカンを横目で眺めつつ、母をしのぶ（生きているけど）日々なのでした。

葬式饅頭の味わい方

私は今、家の近所のカルチャー・スクールのようなところで、書道を習っています。生徒は、多い時でも五人くらい、先生は六十代（たぶん）の女性。平日の午後なので、習っている人も年配の主婦ばかりです。だから、

「○○さんのご主人が入院なさったから今日はお休みですって」

「××さんは転んで脚を折ったそうよ」

てな会話が、いつも先生と生徒の間で交わされている。

その教室では、毎回先生がお菓子とお茶を出して下さいます。それがちょっと楽しみであったりもします。

が、お団子が出てくる時、私は少し困惑します。お団子が三つ、串《くし》に刺さっていて、アンコやみたらしのたれがかかっている。普通の串団子。一つ目は普通に食べます。二つ目も、アングリと串から食べる。

問題は、三つ目です。串から食べようと思うと、串の先端部分が咽喉《のど》の奥に刺さりそう。フォークか何かあれば、団子を串の先端までズズズ、と移動させることもできますが、書

道教室にフォークなんて物は置いていない。私は、〝他の奥様達は、どうやってこの最後のダンゴを召し上がっていらっしゃるのかしらん〟と周囲をキョロキョロと見回してみるも、奥様達はおしゃべりに夢中だったり、書道に夢中だったりで、まだお団子に手を出していないのです。

私はしょうがなく、串の横から団子を噛《か》み切ります。そしてもう一口、反対側から残った団子を口に入れる。上品な奥様ばかりなので、〝ブッ、あの子ったらなんてお団子の食べ方してるのかしら〟なんて笑われているのではないか、と心配しつつも、素早く咀嚼《そしやく》して、お茶で流し込むのでした。

ある日の書道教室では、大きなお饅頭《まんじゆう》を四分の一に切ったものがおやつに出てきました。アンコも上等で、なかなかおいしいお饅頭です。〝どこのお饅頭なのかしら……？〟と思っていると、先生と奥様方との会話を聞いていて、わかりました。それは、葬式饅頭だったのです。

書道の世界では、あまり「スピード出世」はないようです。偉い先生方は、皆お年寄。ですから、書道の雑誌には、毎月のように偉い先生の訃報《ふほう》が載っています。

その時は、中でも重鎮とされる先生が亡くなったばかりでした。私の先生も、お葬式の手伝いをなさったらしい。だから、

「お饅頭が余っちゃったのよね」

と、先生。

「ホントにもう、毎月のようにお葬式で忙しくって。でもこのお饅頭、結構おいしいでしょう？」

「そうねぇ（モグモグ）、上等なお饅頭ねぇ（モグモグ）。でも先生も大変よねぇ」

「そうなのよ、私なんかこの世界では若い方だから何かある度に働かなくちゃならないし。若い頃はヒマだったのに、歳《とし》をとるごとに忙しくなってくるわ」

「でも先生はお幸せよ、私なんかまだ姑が生きてるからロクに外出もできなくて」

と、奥様方との会話も、弾みます。

おやつが楽しみな書道教室。しかしおやつを食べながらの、奥様方と先生との会話の盗み聞きが、実は一番楽しい。書道の方はいつまでたってもうまくならないのですが、奥様事情にだけは詳しくなってしまった、私です。

ナポリタンと高級感

先日、とある有名な洋食屋さんで昼の食事をした時のこと。メニューの中に、「スパゲティナポリタン」と、書いてありました。「ナポリタン」なんて、久しぶりに見る単語だなぁと思った途端、スパゲティをズルズルとすすって、口の周りをオレンジ色に染めていた子供時代のことが脳裏に浮かび、ムラムラと食べたくなってしまいました。

ちょっとテレながらナポリタンをオーダーしてしばらくすると、目の前にそのブツが運ばれてきました。しかし一目見た時、何となく私は、違和感を覚えてしまったのです。

なぜなのだろうと考えてみると。まず、そのナポリタンからは、湯気がたっていました。できたてのアツアツだったのです。普段、私達がオレンジ色のスパゲティを口にするのは、定食や出来合いのお弁当などにおいて、ハンバーグや揚げ物の横に、ちょこっと添えてあるもの。作りおきをしてあるから、スパゲティは既につめたくなっています。ナポリタンは冷めているのが当然という意識がある私にとって、湯気がたっているナポリタンという存在は、妙でした。

ふと手元を見ると、皿の横にあるのは、銀色に光るフォークとスプーン。割り箸《ばし》でもなければ、食べるうちにオレンジ色のアブラがヌラヌラと表面に浮く、白いプラスティックのフォークでもありません。ずっしりとした手応《てごた》えの銀のフォークを手に取ると、〝こんな高級フォークで、ナポリタンごときを巻き取ってしまってよいのだろうか?〃と、躊躇してしまう。

一口食べてみます。すると、スパゲティ自体にも問題がありました。なんと、茹《ゆ》で加減がアルデンテだったのです。シコシコとした歯応えさえ、感じられる。いつも食べてる添え物ナポリタンは、もちろん麺《めん》が伸びきっています。その柔らかい麺に、ケチャップと冷えたアブラの味が混ざりあって、何とも言えぬゲスなおいしさとなっている。

しかしその麺は、まるでイタリアンレストランで食べるパスタのようです。麺自体が高尚すぎて、ケチャップという庶民的な調味料が、オドオドしている感じ。

さらには、具としてエビが入っていることにも戸惑いました。海老だけではありません。缶詰ではないブラウンマッシュルームも、入っている。具が入っていたとしてもせいぜいタマネギとピーマン、ヘタをすれば全く具は無し、というのが通常のナポリタン。だというのに、海老が! それも複数尾!

その高級ナポリタンは、確かにおいしかったのです。しかし食べ終った後、心のどこかに納得しきれない部分、と言うよりは罪悪感のようなものが、残った。ソース焼きそばに肉を大量に入れるのはルール違反であるように、スパゲティナポリタンの高級バージョンを作っては、いけないのです。そうでないと、ただのケチャップで炒《いた》めただけの冷めたスパゲティを、口では馬鹿にしながらも内心では「おいしい」と思う私達の健気にして貧乏臭い心意気は、踏みにじられてしまう。

やはり、最初に値段を見た時点でやめておけばよかったのです。実はそのスパゲティナポリタン、なんと一七〇〇円。そんな値段を払ってまでおいしいナポリタンを食べようとした私の心根の方が、弁当の隅に入っているナポリタンよりよっぽどゲスだった。レストランを出る時、ふと「故郷は、遠くにありて思うもの」という言葉を思い出した、私でした。

大人の哺乳瓶

最近、飲み口が付いている小さなパックに入ったスポーツドリンクが、よく売られています。私も先日、炎天下のゴルフの折りに、それを買ってみました。

すると、非常に具合が良いのです。何の具合が良いかといったら、その「吸い心地」が。そのパックは凍らせてあるので、ラウンドをしながら、溶けた分だけチューチュー吸えば、常に冷たい液を飲むことができる、という仕掛け。飲まない時はキャップを締めておけば、こぼれる心配もありません。

最初は、なかなか氷が溶けません。それを一生懸命に吸って、液体をしぼり出す。スポーツドリンクには甘味がついており、最初は甘い部分だけが、溶けだしてくる。その感覚は私に、中学時代の卓球部における夏休みの練習を思い出させました。

私は、夏の練習の時にいつも、細長いタッパーのような容器にカルピスを入れ、凍らせて持っていきました。溶けるのを待って飲むのですが、やはり最初は、甘い部分だけが溶けているのです。〝あっ、ここで甘いところだけ飲んじゃったら、後から味が無くなってしまう！〟と頭では思いながらも、疲れた身体は「甘い液体」を欲していたため、ゴクゴク飲んでしまった。ゴルフ場におけるスポーツドリンクは、そんな懐かしい思い出を脳裏によみがえらせました。

さらにチューチューしていると、今度はもっと深い懐かしさが、脳の奥の方からわきあがりました。その容器に付いている飲み口は、ちょうどビーチボールに息を吹き入れる部分を、少し大きくしたくらいのものです。それを口に含むと、妙にフィット感が良いのです。手でパックの氷を揉みほぐしながら、口では程よい突起の飲み口にしゃぶりつき、そして吸う。そう、それはまるで母の乳房を口に含む、赤子のようではありませんか！

ふと一緒にラウンドした人達を見ると、暑いせいもありましたが、誰もが暇さえあれば、チューチューしていました。立派な紳士がゴルフのクラブを小脇にかかえ、夢中になってパックをチューチューする様子は、どこか微笑《ほほえ》ましくもあったのです。

やはり、「吸う」という行為は、私達に特別な感慨をもたらすものなのでしょう。マクドナルドのシェイクを飲む時、ストローからシェイクが出てくる速度は、子供が母乳を飲む時の速度と同じにしてある、というまことしやかな噂《うわさ》を聞いたことがあります。母乳のように流れこんでくるシェイクに、人は本能を刺激されるとか、されないとか。

その噂が本当かどうかはわかりませんが、あのスポーツドリンクの容器は、確かに私達を懐かしく、そして良い気持ちにさせてくれます。すっかりスポーツドリンクを飲んでしまった後も、いつまでもしゃぶっていたいような気さえ、するのです。

あれ以来、スーパーでスポーツドリンクのパックを目にすると、つい買いたくなってしまう私。〝さすがに家で一人でチューチューするのはなぁ……〟と思い留まっていますが、あの感触の中毒になっている人は、結構いるのではないか。

一緒にゴルフに行った中年男性も、何がいいんだかはちょっと不明ですが、「あれはいい……」と、感慨深気につぶやいていました。せちがらい今の世の中。大人にも哺乳瓶《ほにゅう》は必要なのかもしれません。

蕎麦湯ネギ

暑い時は麵類をツルツルとすするのがおいしゅうございますね。日本における麵と言えば、何といっても蕎麦《そば》。「ざる」と「もり」。どっちが海苔《のり》の載ってるやつだっけなぁと、この歳になっても悩む私ですが、とりあえず蕎麦は好きです。

東京のちょっと気取った蕎麦屋さんは、盛り方がとても少ないのでいつもイライラさせられますが、蕎麦湯だけは豊富に持ってきてくれます。「蕎麦湯」なんて言うと聞こえはいいですが何のこたぁない、単なる麵の茹《ゆ》で汁だからです。麵の茹で汁を好んで飲むなんて、とても変わった習慣だと思います。子供の頃は蕎麦湯が不気味でしょうがなかった。

しかし大人になった今は、蕎麦湯が嫌いではありません。蕎麦を食べ終り、つゆに蕎麦湯を入れて飲むと、イタリア料理の後にエスプレッソを飲んだ時のように、「食ったァ」という気持ちになるのです。蕎麦湯好きの友人などは、

「缶入りのポタージュスープが存在するのだから、缶入り蕎麦湯ドリンクも作ってほしい。ペットボトル入りでもいい！」

と申しておりました。

缶入り蕎麦湯ドリンクを作るとしたら、つゆと蕎麦湯の調合の好みが個人によって違うのが、難しいところでしょう。私は、蕎麦湯をちょっと少なめに入れて、チビチビ楽しむのが好き。かと思えば、少量のつゆに蕎麦湯をたっぷりと入れて、お茶のようにゴクゴクと飲むのが好きな人もいます。

しかしおそらく全《すべ》ての人が蕎麦湯を飲む時に楽しみにしているであろうことがあります。それは「ネギとの遭遇」。黒いつゆの底に沈んでいた輪切りのネギ。それが蕎麦湯が注がれることによって舞い上がり、姿を見せる。「あっ、まだネギが残ってた！」という発見には、胸が躍ります。

蕎麦湯にネギを見つけたら、お茶に立った茶柱を他人に知られずにする時のように、注意深く吸い込む。そして、ネギは口の中に残しておいて、蕎麦湯だけを飲み込む。口の中に残ったネギは、蕎麦湯の熱によって半ナマ状態になっています。完全に火が通っているわけではないが、ちょっとシナッとしている。ナマの時のようなきつさは、ありません。そして嬉《うれ》しいことに、つゆの味がちゃんと染み込んでいるのです。この状態のネギに遭遇できることこそ、蕎麦湯を飲む醍醐味《だいごみ》と言っても過言ではないでしょう（蕎麦湯を飲み干す寸前の、気の抜けたワサビの味のところの方が好き、って言う人もいらっしゃるでしょうけれど）。

この「蕎麦湯ネギ」は非常に繊細な存在ですから、決して奥歯などで噛んでしまってはなりません。ネギは必ず、前歯で噛みます。すると「サクッ」という自分にしか聞こえない微音が、頭蓋骨《ずがいこつ》に響く。続いて、ほどよいネギの香りとつゆの味が、前歯に染みます。日本人でよかった！　と思う瞬間です。

しかし哀しいかな蕎麦湯ネギはしょせんネギ。噛んでいるうちにすぐ無くなってしまう。〝ああ、蕎麦湯ネギをドンブリ一杯に盛って、スプーンでザクザク食ってみたい〟と、いつも思います。

でもそのはかなさが、蕎麦湯ネギの良いところでもあるのでしょう。異性関係でも何でも、「ちょっとだけ自分の物になった時」というのは、「全部を手に入れた時」よりも幸福だったりするものです。蕎麦湯を飲みつつ、我慢ということを覚える、私です。

切れすぎる包丁

深夜にやっている、テレビショッピング番組。心が寒くなるような番組ばかりのテレビ界においてショッピング番組は、きついジョークや毒舌もなく、「すばらしい!」「安い!」と手放しの賛美状態で終始するという貴重な存在です。一日を終えた後に見るショッピング番組は、私にとって心のオアシスとなりつつあります。

ショッピング番組において定番の商品となっているのが、包丁です。そして私は、番組の中でも特に包丁のコーナーが、大好き。何故《なぜ》って、とにかくよく切れるからです。いつもデモンストレーターの男性が出てきて、包丁がいかに良く切れるかを実演してみせるのですが、野菜界の中でも特に切りにくい存在として知られるトマトが、力を入れずに皮ごとスッと切れる。シャケは骨ごと真っ二つ。

極め付きが、デモンストレーターさんの、

「ちょっと無茶しますよ!」

というかけ声とともに行なわれる、「カマボコを板ごと切る」とか「セメントブロックを切る」といった行為。ゲストの芸能人がそれを見て、「あっあっ、そんなものを切って大丈夫？」と心配してみせるけれど包丁は欠けもしないという予定調和に、私の心は満足するのです。

世の中には、そういったデモンストレーションにすっかり乗せられてしまう人も、存在します。それはつまり私のことなのであって、ある晩どうしても我慢しきれなくなって、その包丁を購入してしまいました。

電話をして、包丁が届くまで二週間余。クリスマス前の子供のように、待ち遠しくてそわそわしてしまった。いよいよ包丁が届いて、私がいちばん最初に切ったものは何かといえば……。もちろん、トマトです。テレビでは、トマトの上に包丁を置き、すっと引いただけで切れていた。あれは本当かどうか、ぜひ試してみたかったから。

トマトをまないたに置き、包丁をスッ。と、切れました。それまで私が使っていたのはごく普通の包丁で、少し研《と》がないでいるとすぐに切れ味が鈍った。トマトを切ろうと思っても、グズッと潰《つぶ》れてしまうのです。それがどうでしょう、この鋭い切れ味！　私は大喜びで、トマトを切り刻みました。

気持ちが高揚してきた私は、もっと何かを刻みたくなってしまった。そこで目についたのは、タマネギ。そうだ。タマネギをみじん切りにしてみよう！

するとみじん切りも、実に素早くできるのです。料理の先生みたいに、一定のリズムでトントンと刻むことができる。調子にのって〃私は料理上手の奥さん!〃などと心の中で叫びながら、トントントントン……と、何かにとり憑《つ》かれたように刻み続けたのです。と、その時。ザクッ、と爪《つめ》の先に手応《ごた》えを感じました。ふっと手を見ると、左手人差し指の爪が、スパッと切れて無くなっていた。あまりに良く切れる包丁は、私の爪をも見事な切れ味で落としていったのです。幸い、肉の無い部分だったので流血は避けられましたが、もし指だったらと思うと、恐ろしい。

確か向田邦子さんの小説でも、包丁を毎日研いでいる女の話があったかと思います。やがて子供が、誤ってその包丁で指を落としてしまう。その話と、「ちょっと無茶しますよ!」の声を思い出す。そういえばNHKの子供向け料理番組「ひとりでできるもん!」でも、「包丁を使う時、左手はネコの手(グーの状態)で!」と教えていた。今さらながら、「もう無茶はすまい」と思う私でした。

立食パーティーの強者

先日、とあるホテルで、とある立食パーティーに出席する機会がありました。大きな宴会場の中央には、メインの料理テーブル。様々なオードブルやローストビーフなど、主に見栄えの良い洋食が並んでいます。そして壁ぎわには、お寿司や蕎麦といった和食の屋台が並んでいる。よくある立食パーティーのパターンです。

ただその日のパーティーは、私にとって非常につらいものでした。なぜならその広い会場の中には、一人も知り合いがいなかったからなのです。そんなパーティーに出席するのがそもそも間違いとも思えますが、とある会合に出席した終了後、そのまま隣の会場でパーティーというパターンだったので、何となく足を踏み入れてしまったのです。

立食パーティーというのは、たとえ知り合いが大勢いたとしても、立ち居振る舞いが非常に難しいものです。そうでなくとも、立ってごはんを食べている姿は、もともとがとてもとても哀しい。

まだ、ハンバーガーだのアイスクリームだの、立って食べることを前提として作られている食品であればいいのです。しかしローストビーフだのお寿司だの、本来は座って食べるべき高級な食品を、ワリバシを使って立って食べている人の姿を見ていると、「食べなくては生きていけない人間の哀しさ」というものを感じつつ、〝そうまでして食べたいか〟という気持ちにもなる。しかし自分もパーティーに出席すると、〝あっ、おいしそうな物がたくさん！〟と、ついつい食べていたりするのがまた哀しいんですけど。

「一人ぼっちになってしまうのではないか」という恐怖感も、立食パーティーにはつきものです。さっきまで一緒に話していた人が、

「あっ、ちょっと失礼します」

なんて言ってどこかに去ってしまった時の心細い気持ちと言ったら。まだ手ぶらであれば、人ごみの中を歩いて知り合いを探したりもできますが、ごはんを皿に載せて食べている最中だった時は、困ります。たくさん人がいる中でたった一人ぼっちで立ってごはんを食べている自分、という存在が物悲しく、とても情けない気持ちになってしまうのです。

そして先日の、立食パーティー。私は「知り合いのいない立食パーティー」がこれほどつらいものだとは、思いませんでした。会場の中をグルッと回ってみると、テーブルの上の食事はどれもおいしそうなものばかり。とても食べたいのです。しかしどうしても、皿を取ることができません。周囲を見回してみれば、私のように一人ぼっちなのに、黙々と食べている人もいる。お腹も空いていたし、〝勇気を出して……〟とは思うものの、その

勇気が出ない。

結局私は、十分もたたないうちに、その会場を後にしました。おいしそうな料理に対する未練はありましたが、どうしてもいたたまれなかったのです。

よく女性雑誌で「一人で食事ができる大人の女」といった記述があります。女一人でも安心して食事ができる店を知っていて、楽しく食事をすることができるということが、「大人の女」の一条件となっているようなのです。しかし私は、「立食パーティーで一人で食事ができる女」こそ、本当の強者なのだと、その時に知りました。

ホテルを出て〝お腹空いた……〟と空を見上げつつ、まだまだ未熟者である自分を確認したのでした。

ビタミンCの尺度

　風邪の季節になると、つい「ビタミンC入り」と銘打った飴《あめ》を買うことが多くなります。そう思ってお菓子売場を見てみると、世の中には実にたくさんのビタミンC入りのものが売られていることに気づきます。

　それらの中からどの飴を選ぶか。この選択がまた、難しい。それらの飴にはたいてい「レモン○個分のビタミンC入り」という表示がしてあります。マ、どうせビタミンCを摂取するなら多い方がいいわな、と思うのですが、実は本当はどれがいいのか、よくわからない。

　ある飴は、パッケージに「レモン五〇個分のビタミンC」とあり、別の飴には「一本にレモン一二〇個分のビタミンC」としてある。一見すると後者の方がたくさんビタミンCが入っていそうだが、もしかして前者は、飴一粒に対してレモン五〇個分入っている、という意味なのかもしれない。後者は九粒入りだから、一粒あたりは一二〇÷九＝一三・三個分。もしかすると前者の方が効率的かも。しかし飴一粒にレモン五〇個分のビタミンCを詰め込むことなど、本当にできるのか……？　などと、悶々《もんもん》としてしまう。

ビタミンC界における「レモン」という尺度の存在は、面積界における「東京ドーム」という尺度の存在と、似ています。レモン＝「とってもビタミンCがいっぱい入っている食品」であり、東京ドーム＝「とっても広い場所」なのです。しかし私達はその「とっても」が具体的にどれくらいなのかという知識を、実は持っていない。

だから「レモン〇個分のビタミンC」も「東京ドーム〇個分の広さ」も、本当はあまりリアリティーの無い言葉なのだと思います。「レモン一〇個分」と「レモン二〇〇個分」の間には、実に二〇倍のひらきがあるわけですが、それを聞いた私達は「両方ともとってもたくさんビタミンCが入っているわけね」程度のことしか思わない。かえって、「一粒にレモン二個分のビタミンC」くらいの言い方の方が、リアルに聞こえたりするのです。「東京ドーム一〇個分」と「東京ドーム二〇〇個分」とにしても、本当はとても両者の差は大きいのです。しかし言葉を聞いただけでは頭の中でイメージが作れず、「とっても広い場所」として一括《ひとくく》りにされてしまう。

それでもその二つの尺度は、不動のものです。いくら「実はレモンよりずっとたくさんビタミンCが入ってるんですよ」と喧伝《けんでん》されたからといって、「アセロラ〇個分」とか「苺〇個分」といった言い方は台頭してこない。同じように、たとえJリーグがもっと人気になっても、広さの尺度は「カシマサッカースタジアム〇個分」にはならないだろうし、新しいからといって「ナゴヤドーム○個分」にもならないであろう。

最近、ビタミンC界においては「一日に必要なビタミンCの○%がこれ○粒分でとれる」といった言い方も台頭してきています。ビタミン剤などは「『レモン○個分』なんて非科学的」とばかりに、この手の言い方をしている。しかしそのビタミン剤を見てみれば、やっぱりパッケージも、タブレットも、レモン色なのです。レモンのイメージ無くしては、ビタミンCの存在は成り立たない、と言っても過言ではないであろう。

いかにもビタミンCがたくさん入っていそうな酸っぱさのレモン。そして天下の人気球団・ジャイアンツの本拠地である東京ドーム。両者とも、尺度界の王道を、まだまだ譲りそうにもありません。

天神さま

私は、梅干しが大好きです。子供の頃は、口さみしくなる度に、梅干しを連続喰《ぐ》いしていました。筍《たけのこ》の皮で梅干しを包んでチューチューと吸う時期になると、「春だなぁ」などと思ったものです。

梅干しを口に入れるとまず、マイルドな酸っぱさを感じます。皮の部分は、少しざらっとしていながらもぷよぷよと柔らかく、「この皮の中にはな、もっと酸っぱくてなめらかな果肉がいっぱい詰まっているのだ！」と主張しているようです。

その皮を噛み切ることなく、しばらくはやわやわと口の中で転がします。じわっと染み出る酸っぱさが唾液《だえき》の分泌を誘発する。この感覚も、梅干し喰い時の醍醐味の一つでしょう。

舌の上で転がすだけでは我慢がならなくなってきたら、いよいよ皮に歯を立てます。一噛みすれば、塩漬けすることによってトロリとなった果肉が、舌の上に流出してきます。唾液の分泌は一層、盛んになる。歯と舌とを駆使して、酸っぱく熟れた果肉をしごき取ります。

あらかた果肉を味わい尽くしても、梅干し喰いは終りません。むしろ、これからと言ってもいいでしょう。梅干し好きにとっての天王山、それは「タネ」なのだから。

果肉を全て食べ尽くしたつもりでも、タネの周囲には微量の果肉と、繊維質のようなものが付着しています。それをこそげ落とすようにして食べるのがまた、いい。果物は、タネの周辺が一番おいしいと言いますが、梅干しもそうだと思います。

いよいよ残るタネだけとなっても、まだまだ捨てるわけにはいきません。ガムと違って梅干しは、突如として味が無くなるということがありません。チューチューと吸えば、酸味のエキスがタネから染みだします。

きちんとタネに染み込んだ味を吸い終り、タネがダシガラっぽくふやけた感じになってきたら、いよいよ最後の大仕事にとりかかります。そう、梅干し喰いのラストを飾るのは、「天神さま」の捜索です。

天神さま、と言ってもおわかりにならない方もいらっしゃるでしょうか。私は子供の頃から、梅干しのタネの中身を「天神さま」と言っていました。なぜあれを天神さまと言うのか、深い疑問を抱かずに今まで生きてきましたが、そのネーミングからして何となく「大切なものなのだろう」という意識は持っていました。

だからタネを噛み砕く時、気がつくと私は細心の注意を払っているのです。あまりに勢いよく嚙み砕くと歯が折れそうとか、乱暴に嚙んでタネが粉々になってしまうと天神さまを食べる時に面倒とか、具体的な理由もあるのです。しかしやはり心のどこかで、「天神さま」と名のつくものを嚙みつぶすのは忍びない、という意識も働いているのだと思います。

天神さまを無傷で取り出すには、テクニックが必要です。梅干しによって、タネの硬さは微妙に違う。タネの向きによって上手く割れたり割れなかったりもする。だから完全な形で天神さまが取り出せた時は非常に嬉《うれ》しいものです。タネの残骸を口から取り出した後、少しもったいないような気もしますが、一気に咀嚼。これにて梅干し喰いの儀式は無事に終了、ということになります。

このように一粒で、ずいぶんと長時間楽しめる、梅干し。おいしい上に健康にも良く、かつ舌と歯の機能を鍛えることもできて、「一粒で二度おいしい」のグリコも目ではない、ティーンエイジャーの皆さんにも是非お薦めしたい、食品です。

そんなにうまいか？

日本人は、鍋物《なべもの》が好きです。鍋といっても色々ありますが、何といっても一番有り難がられるのは、てっちり、つまりふぐ鍋でしょう。

「ふぐ鍋にでも連れていってあげよう」などとオヤジに言われると、ついふらふらとついていってしまう女性も多いことと思います。

私も「ふぐ」と聞くと何となく、嬉しい気持ちになります。やはり、高いものを食べる時は興奮するものなのです。

が、実際にふぐ屋に行って、まずはふぐさしなんぞ食べてから鍋に突入しても、何となくいつも気持ちが煮え切らないのです。理由は、心の中でつい、〝これって、そんなにうまいか？〟と思ってしまうから。

ふぐさしにしても、とても薄くて皿の模様が透けて見えることには感動しますが、口に入れてみると何だかポン酢の味しかしなくて、おいしいんだかどうだか、わからない。鍋に入ってるふぐも、淡泊な味わいだけれど「ギョエーッ、うまいっ！」と叫ぶようなわかりやすいおいしさではない。

　しかし私は、正直な気持ちを口に出すことはできません。ふぐ＝おいしいもの、という認識は世の中に広まっています。ここで私が「ふぐって別に、大しておいしくないよね」なんて言おうものなら、その場の雰囲気は盛り下がり、「それはお前の味覚がなっとらんからだ」なんて言われかねない。ふぐ屋にいる間中、あいまいな微笑みを浮かべ続ける私なのです。

　同じような感想を夏場のハモに対しても抱くことがあります。細かく骨切りがされた湯がいたハモに、梅肉がちょこっと載ってる料理はいかにも夏らしいものです。しかし、すっごくうまいかどうか、と聞かれると、口ごもる。ハモ自体の味よりも、味付けによって食べている感じがしてしまうのです。でもふぐと同様、ハモなんかを食べる時も、たいていこちらはご馳走《ちそう》になっている身。

「これってなんか、おいしいかどうかわかんないような味っすよね」

　とはとても言えない。

　この「何となく有り難いから食べちゃうけど実は別においしくないと思ってる食べ物」として最近発見したものがあります。それは、カヌレ。今流行のお菓子（注：97年2月当時のお話）ってやつです。あれも「すぐに売り切れ」みたいな評判にあおられているけれど、実は別にどうってこたぁない菓子です。でもそれを言ったら、

「アンタはわかってないのよ」

て言われそうだから、黙っている。

このように感じるのは、もちろん私の味覚が劣っているせいもあるでしょう。ふぐにしてもハモにしてもカヌレにしても、実は私は安物ばかり食べていて、本当においしいものに巡り合ったことがないだけの話かもしれない。

しかしふぐやハモやカヌレに対して、私と同じように思っている人は、実は世の中にたくさんいるのではないでしょうか。「これってそんなにウマイかよ」と思いつつ、「ウマイウマイ」と言う周囲が恐くて黙っている、という人。

でもまぁ、ふぐもハモも、季節ものです。その季節にしか食べられないものを「おいしい」と感じられる心があるのは、幸せなことです。そう考えれば、流行りもののカヌレだって、流行りが終ってしまえばもう食べられないのです。季節ものだと思って、おいしがっておく方が前向きな姿勢、というものなのでしょう。

＊

追記　案の定、カヌレブームはすぐに終った。今となってはカヌレというお菓子がどんな味だったかすら、憶えていない。

旅館の小鍋

初めて「固形燃料」に出会ったのは、中学の修学旅行で東北地方へ行った時でした。ある日の夕食において、一人に一個の小鍋が目の前に置いてあったのです。中身は、名物キリタンポ。旅館の仲居さんが固形燃料に火をつけると、次第にグツグツと煮えてきます。

私には「一人に一つの鍋」が、とても新鮮で豪華に思えました。〝中学生の身分でこんな贅沢《ぜいたく》していいのか〟と、火を見て感動した。友達も初めての体験に興奮し、早くグツグツと沸騰した子はなぜか偉そうな態度になり、反対にいつまでも鍋が温まらない子は、異様に不安そうな顔になったものです。

しかしもう少し大人になると、「固形燃料は、旅館料理の定番」ということに気づきます。どんな奥地の温泉に行っても、夕食の膳《ぜん》には必ず、固形燃料で温める小鍋が出てくる。次第に物珍しさは無くなってきました。

最近は、固形燃料の小鍋が出てくると、ちょっと面倒くさいと思うこともあります。あの一人鍋用の固形燃料というのは、本当に一人鍋を温めるギリギリの火力しか発しません。だから常に鍋の中身に気を配っていないと、生煮えのまま火が消えたりしてしまうのです。

片方で〝天麩羅《てんぷら》を熱いうちに食べなくては〟と思いつつ、もう片方で〝あっ、鍋の中身に豚肉がある。これはよく火を通さなければならないから下に沈めておかなくては〟などと考える。のんびりと食事を楽しんでいられないのです。

ある旅館では、ハマグリが入っている小鍋が出されました。「ハマグリの貝が開いたら、食べ頃です」と旅館の人に言われたのでひたすら貝が開くのを待ちましたが、いくら待っても開かない。次第に固形燃料の火力が落ち、〝アタシ、このまま鍋が食べられないんじゃあ……〟と、不安が募ります。

とうとう、火が消えそうになりました。堪えきれずに、

「あのぅ、ハマグリが開かないんですけど……」

と仲居さんに切り出す。開かない貝というのは死んでいるわけで、私は当然、「取り替えて参ります」という返事を期待していました。しかし仲居さんは、

「それでは、開けて参ります」

と、ハマグリだけ持って立ち去ったのです。

数分後、仲居さんはハマグリを小皿に載せ、「開けてきました」と再登場しました。

「ひょっとしてこれ、死んでる貝なんじゃあ……」

と恐る恐る言うと彼女は、

「いいえっ、死んでません。ガンコな貝なんですっ」

と、キッパリ言い放ち、立ち去りました。

〝ガンコな貝……〟と開けられた貝を見てみると、よほどの力を込めてその貝をこじ開けたのでしょう、貝殻は見事に割れています。さすがに食べる気にはなりませんでしたが、

「ハマグリもう一個下さい」とも言えなかった。

このように泣きを見た人は、私だけではないでしょう。他の人の鍋には入ってるシイタケが自分の鍋にだけなかった。自分の鍋だけ火力が弱くて生煮えになってしまった。でも忙しそうな仲居さんに、たかだかシイタケごときの矮小《わいしょう》なことで文句も言えない……。

しかし、ハマグリ一個、シイタケ一個のことが、意外と後々まで恨《うら》みとして残るものなのです。その旅館のことを思い出す度に、〝そういえばハマグリが……〟となってしまう。

旅人にとって小鍋は、意外な落し穴です。万人が平等に小鍋を楽しむことができるよう、旅館の方々の、今後一層の小鍋管理が望まれます。

映画館と飲食

映画館での飲食は、気を遣います。飴《あめ》の包み紙を解く「パリパリ」という音すら、静かなシーンでは響いてしまうから。映画館おやつの王としてポップコーンが君臨するのも、その無音性が評価されてのことでしょう。雷おこしや瓦《かわら》センベイは、映画館には不向きなのです。

映画館で飲食するにあたっては、音の他《ほか》にもう一つ気をつけなくてはならないことがあります。それは、におい。

上映時間がごはん時の場合、人々はよくファストフードを買って入場するものですが、フライドポテトには要注意です。

マクドナルドをはじめとするファストフードのフライドポテトは、なぜか強烈な臭気を発するものです。映画館の中に一人でもポテトを食べる人がいると、その半径三メートル以内にいる人は、ずっとポテト臭に包まれていなければならない。

先日、夜に映画を見た時も、そうでした。私は「映画が終ってからごはんを食べればいいや」と思っていたので、空腹を抱えて映画を見ていました。そこに、後ろの席の人が食べるフライドポテトのにおいが、暴力的に漂ってきました。

私がもし満腹だったら、そのにおいは油っぽくて不愉快なものに感じたことでしょう。

しかし私はひもじかった。思いっきりゲスなポテト臭は、空腹によって鋭敏になっていた私の神経を情け容赦なく刺激します。

〝他人が食べてるポテトのにおいに影響されるなんて、情けないッ！〟と自分を励ますものの、身体は正直です。空腹感はどんどん増し、細くて長くて端っこがちょっとこげているフライドポテトにケチャップをちょっとつけたやつ、が猛烈に食べたくなってしまうのです。

映画は、カンヌ映画祭で賞をとったシリアスなもの。一生懸命にストーリーを追っているのですが、においに刺激された頭は、「フライドポテト食べたいフライドポテト食べたい……」ということしか考えられなくなっている。面白い映画であることは確かなのですが、フライドポテト食べたさのあまり、〝早く終んないかな〟と思ってしまっている私。

午後九時半。やっと映画が終りました。映画が終って同行の友人と最初に交わした言葉。

それはもちろん、

「フライドポテトが喰いてェーッ！」

ということです。

あまりのフライドポテト食べたさに、私達は日比谷から六本木のハンバーガー屋まで、タクシーを飛ばしました。そしていの一番に、

「フライドポテト！」

と頼んだのです。細くて長くてこんがりカリッと揚がっていて……。と、二時間半もの映画上映中、ずっと脳裏に浮かんでいたフライドポテトが今、まさに現実のものになろうとしています……！

が、しかし。「お待ち遠さまでした」と目の前に出てきたのは、期待していたフライドポテトではありませんでした。フライしたポテトには間違いないのですが、それはもっと太くてホクッとした感じのものでした。マクドナルド的ポテトを待っていた私達の前に、ケンタッキー・フライド・チキン的なポテトが出てきてしまったのです。

「なんかこれ……違うよね」

と、顔を見合わせる私達。食べはしたものの、期待した味ではない。〝せっかくここまで引っぱったのに……〟と、心の中には無念さが広がります。

結局、映画も食事もイマイチ楽しめず、夜は終りました。映画館に行く時は空腹すぎない方がいい、ということなのでしょう。

行列との相性

食事をしに行ったら、目指すお店の前には行列ができていた……という時、どういう行動をとるか。すなわち、行列の最後尾について待つか、諦《あきら》めて別の店に行こうとするか。これは、その人の人格を物語る上で、重要なポイントとなる選択なのではないかと、私は思います。

まだ数回しかデートしたことのない男女が、「行列のできる店」に遭遇したとしましょう。

男性の方が、

「オッ、早く並ばなくちゃ」

などと張り切って小走りになっているのに、女性側は内心、〝えーっ、こんなに並ぶくらいなら、他の店でさっさと食べたい……〟なんて思うタイプだったりすると、そのカップルの寿命はあまり長くありません。行列に対する感覚の不一致、ということになります。

私も、行列を見ると避けたくなるタイプです。どんなにウマイと言われる店でも、並ぶのかと思うと魅力も半減。つい、

「ロイヤルホストでもいいんだけど、アタシは……」

などと言いたくなるのを、グッと我慢します。

世の中には、「行列を見るとつい並びたくなってしまう」という人もたくさんいます。その人達は、えてして明るく、積極的で、気のいい人が多いものです。そして彼等は、どこか寂しがり屋さん。だからこそ、「並んでいるうちに湧《わ》いてくる、列の前後の人達との無言の連帯感が好き」とか「みんなで一緒に一つのことを待っているという、そのイベント感覚がいい」、といった意見を述べるのです。

対して行列嫌いの人は、どちらかと言えば他人との無用な接触は避けたいタイプ。その上、私などはとても自意識過剰な性格なので、並んでいる間に色々なことを気にしてしまうのです。

たとえば、「私がこうやって物欲しげな顔で並んでいることによって、中で食事をしている人達に『早く食べ終らなくては』というプレッシャーを与えているのではないだろうか。でも全くプレッシャーを感じない人達ばかりで、ダラダラ食べ続けられるのも腹が立つなぁ」とか、「今ここに、誰か知ってる人が通って並んでるところを見られたら恥ずかしいなぁ」と思ってしまうため、おちおち並んでいられないんですね。

たまに、行列好きな友人に連れられて「行列ができる店」に行くと、とても新鮮な感覚を味わうことができます。行列好きな人というのは、行列そのものを楽しむことができます。遅々として列が進まなくとも、店の前に貼ってあるメニューを見て、

「あっ、肉マンも食べてみたいなぁ。シューマイもおいしそうだし……」

などと色々と考えたり、時には前後に並んでいる人に、

「いつもこの店、いらっしゃるんですか？」

とか、

「今日は込んでますねぇ」

などと話しかけ、「同じ店に入ろうとして並ぶ自分達は、同志なのだ！」という感情を芽生えさせたりしている。

そんな人と一緒だと、普段は避ける行列も、なぜかさほど苦ではなくなります。〝アタシだって、人並みに行列できる人間なんだ！　人類は一家、行列はみな兄弟！〟という、前向きで明るい気分にすらなってくるのです。

しかし、そんな気分を楽しめるのも「たまに」だからこそ。それが毎度のことであったら、やっぱり私は耐えられないことでしょう。だからもし私が結婚するとしたら、夫となる人は、なるべく行列嫌いであってほしいものだなぁと、思っています。

駅弁のころあい

列車に乗ってどこか遠くへ行くのは、楽しいものです。特に駅弁など買い込んだ時の気分はまた、格別。

駅弁の食べ方には、個人によってルールがあるようです。よく言われるのは、「駅弁は列車が動いてから食べる」というもの。駅弁を、旅情を高める上のツールと考えた場合、発車もしないうちに弁当の包みを開けるのはご法度なのです。

私の場合は、さらに「東京三十キロ圏を過ぎてから食べる」というルールを自分に課しております。つまり、東海道新幹線であれば新横浜を少し過ぎてから、東北・上越新幹線であれば、大宮を少し過ぎてから。どんなに空腹でも、東京郊外の工業・商業地域では弁当を開かない。田園の風景が少し見えてくるまで、我慢するのです。

しかし同行の人がいる場合、自分のルールを遵守するかどうかは、微妙になってきます。相手がいきなり東京駅で弁当を食べはじめるような人の場合、自分だけ我慢しているのは気詰まり。またそうでなくても、〝この人は本当は早く弁当を食べたいのに、私に合わせて我慢しているのではないだろうか？〟と思うあまり、

「お弁当、食べる？」

などと自分から誘ってしまい、不本意にも北区王子あたりの殺風景な景色を見ながら弁当を広げてしまうこともある。

しかし、まだ往路はいいのです。「これから遠くに行くのだ！」という気持ちの弾みがあるから、どこで弁当を食べようとウキウキしていられる。難しいのは、東京に帰る車中で弁当を食べるタイミングです。

私も先日、上越新幹線の上毛高原駅から東京に戻るという機会がありました。ちょうど昼時だったので、駅でお弁当を買おうと思ったら、どこにも売っていない。

〝マ、新幹線の中で買うか〟と思ったら、それもなかなか売りにこない。

私は、アセりました。上毛高原駅から東京駅までは、約一時間しかかかりません。早く弁当を入手しないと、「東京についたのにまだ弁当を食べ終らない」などということになりかねません。

本当は、まだ雪が残る景色を眺めながら、食べたかったのです。しかし雪景色など、あっという間に消えた。そうこうしているうちに高崎駅に着きました。しかし「高崎と言えば、ダルマ弁当！」と気づいた時には、電車のドアは閉まっていた。〝高崎でダルマ弁当がこの列車に積まれていればいいが……！〟と、祈る私。

その祈りは、天に通じたようです。しかし、ダルマ弁当を搭載した車内販売車の歩みはノロかった。私のところに車内販売の車が到着したのは、熊谷駅に着いてからだったのです。熊谷といえば、既に東京の通勤圏。意地になってダルマ弁当を購入したものの、「旅情」の二文字はとっくに失せている。

私は、猛スピードでダルマ弁当をむさぼり喰いました。通常、あの手の釜飯系列の弁当を食べる時は、〝最初にシイタケ食べて、お楽しみの鶏肉は三口にわけて、もちろん甘く煮た栗《くり》は最後までとっておいて……〟などと配分するのが楽しいのですが、そんなことするヒマなし。何とかして埼玉県内で食べ終りたかったため、ひたすらかっ込みました。

結果、私は見事に東京に入る前に、ダルマ弁当を完食することができました。そして得た教訓はたった一つ。「地方から東京に戻る時は、必ず事前に弁当を手に入れておくこと」だったのでした。

もんじゃ焼きの憂鬱

「もんじゃ焼き」という、東京は下町名物の食べ物があります。東京に住んでいてもこの食べ物を知らない人は多いものです。私はその昔、下町在住の男の子と付き合って初めてもんじゃ焼きの存在と、その焼き方や正しい食べ方などを学びました。

もんじゃ焼きがどんな食べ物であるかを説明するのは、難しいものです。もんじゃは、あるものに形状が似ています。が、そのあるものを口にするのは、あまりに憚《はばか》られる。

しかしそんなことを言っていてはラチが明きません。だから私はいつも、

「ゲロみたいな感じ」

と素直に言ってしまいます。粘り気のある褐色の汁に、刻まれた具が混じったものが鉄板の上でフツフツしている様子を初めて見た人は誰しも、「ゲロ」の二文字を脳裏に浮かべずにはいられないことでしょう。

外見に似合わずもんじゃはおいしいものです。しかし難点が一つ。それは、〝イマイチ気楽に食べられない〟ということ。前述の通り、もんじゃは下町の食べ物です。そして下町の人というのは、もんじゃの食べ方を知らない人を見ると、平静ではいられなくなって

しまうという特性を持っているのです。

私が、友人（山の手出身者）と、浅草へ行った時のこと。店構えの渋いもんじゃ屋さんがあったので入ってみました。もんじゃを焼いて食べようとすると、

「ちょっとアナタ、汁にしょうゆ入れたでしょ」

と店のおばちゃんから声が飛んだ。ビクッとした私は、

「あっ、入れました……けど……」

とオドオド答える。すると、

「ウチのもんじゃの汁には味がついてるから、何も入れなくていいの。しょうゆなんか入れたら塩っからくって食べらりゃしないよ！」

と、厳しい江戸っ子口調で責められる。

「スイマセン……」

と、食欲を喪失する私達。

「川の向こうの両国の方じゃそんな焼き方をするらしいけどサ、昔はもんじゃはこの辺だけの食べ物だったんだ。マ、好き好きだけどさ……」

と、おばちゃんはさらに文句をたれる。ここで私達は初めて、もんじゃを常食する地域同士の間にも確執は存在することを知ったのでした。

では下町出身者と一緒にもんじゃへ行けば楽しめるかというと、そうでもないのです。下町出身者は、「オレは子供の頃からもんじゃをオヤツ代わりに食ってきた」ということが誇り、というかほとんどアイデンティティーだったりする。だからもんじゃを食べてる間中、「ヘラはこう使え」「小皿は使うな」などと、講釈をタレっぱなし。

「うるせぇ、黙ってろ」

と言いたくなります。

素人同士でもイヤな思いをせずにもんじゃを食べるには、秘訣《ひけつ》があります。浅草などの繁華街、それも仲見世の近くなど、観光客の多い場所にある、小綺麗《こぎれい》な店を選ぶ。小汚い店だと、こだわりのババァみたいな人がいて、私のようにいじめられる可能性があるからです。

その手の店は観光客向けに店員が教育され、メニューも丁寧に書いてあったりします。わからない時は店員が焼いてくれるし、素人っぽい質問をしてもイヤな顔をされない。かといって出すぎたおせっかいもない。堂々と観光客ヅラをして、食べることができるのです。とは言うものの、もんじゃ初体験の人を見るとつい、「そうじゃない」などと言いたくなってしまう最近の私。

もんじゃという食べ物は、人を無口にさせない要因を持っているようです。

ポッキーでトリップ

コンビニで、あずき抹茶味のポッキーをみつけたので、買ってみました。これは軸の部分が抹茶味で、コーティングされているチョコレートがあずき味、というもの。食べ始めたら何だかおいしくて、一気に一袋、完食してしまいました。

この「お菓子イッキ喰い」というのは、いつも人に罪悪感と後悔とを、もたらします。特にポッキーでそれをヤッてしまうと、まんまとはめられたような悔しさが残る。

なぜならポッキーというのは、消費者にイッキ喰いをさせるために作られたようなお菓子だからです。ポッキーは、非常に細くて頼りないお菓子です。一本かじってみたところで、腹の足しにはならないし、「チョコレートを喰った！」という充実感も得られない。

だから人は必ず、「ポッキー連続喰い」の罠《わな》にはまるのです。一本、また一本、そしてまた一本……。しかしポッキーは一本一本がそれぞれ細いから、「これで満足！」という気持ちには絶対になることができない。サルにラッキョウの皮を剝《む》かせたら止められないように（剝かせたことはないが）、人にポッキーを食べさせたら止まることはない。そしてラッキョウの皮剝きもポッキーの連続喰いも、後に残るのは妙な虚《むな》しさ……。

では、「連続喰い」ではなく「まとめ喰い」をすればいいではないか、という気持ちになったこともあります。ポッキーを五本くらいまとめて食べれば、口の中がポッキーの味だらけになって、この欲求不満は解消されるのではないか、と。

しかし実際にやってみたら、なぜか罪悪感に襲われたのです。何というか、ウニを丼にてんこ盛りにして食べている時のような、〃アタシ、こんな贅沢をしちゃっていいのか？大切な食べ物を粗末にしてるんじゃないか？〃というような気持ち。

マ、それをポッキーで感じてしまうところがセコいといえばセコいんですけど、やっぱり「少しずつ食べてこそ意義があるもの」というのは、確実に存在するような気がします。

それでは、ということで、今なぜか流行しているらしい「ジャンボポッキー」ってやつを食べれば満足するのではないか、と思って食べてみました。これは、ドラムのスティックくらいの太さのポッキーなのですが、確かに食べ応えはある。しかし、これも満足がいかない。

やはり日本人の私には、「小さいもの＝優秀、精鋭」といった意識があるのかもしれません。大きな野菜や果物など見ると、それだけで〃味はボケてるんじゃないか？〃と思ってしまう。同じように巨大ポッキーも、もう見た目で信用できなかった。〃大味なんだろうな……〃と、思ってしまうわけですね。

やはりポッキーの妙味は「連続喰い」そのものにアリ、ということを私はやっと理解しました。ポッキーを先端から「ポリポリポリ……」と前歯で嚙み砕く。それを「何回も何回も」、繰り返す。歯から頭蓋骨へと響くその「ポリポリポリ……」という単調なリズムは、やがて脳を満たしていきます。

すると何やら、雑念が晴れてくるような気がするではありませんか！　ポッキーをひたすら嚙み砕く作業に集中することによって、嫌なことも忘れているのです。一箱食べ終った時は、〝また、やってもうた……〟と後悔はするものの、ちょっと気分は晴れている。

最も手軽にそして安価に現実から逃避できる合法ドラッグとして、ポッキーに再注目している、最近の私です。

小腹編

すすり方

高校生の頃、「初デートの時には食べない方がいい」とされている食べ物が、色々とありました。

たとえば、ミルフィーユ。あれは切るのが難しくてきれいに食べられないから、やめた方がいい。お好み焼きや焼きそばも、青海苔が歯についてしまうからダメ。トマトソースのパスタは、食べているうちにソースがはねて自分の服についてしまうかもしれないから食べない。……等々、純粋だった女子高生は頭の中で色々と考えてしまったため、いざデートとなった時に何を食べたらいいか、いつも悩んだものです。

しかし今や、そんなことは全く気にしなくなってしまいました。大人になるにつれ、初対面の人と一緒に、ミルフィーユだろうが鍋物だろうが、何でも平気で食べることができるようになったのです。

唯一、初対面の人と食べるのに少し気が引けるのは、「蕎麦」です。初対面の人と、「ちょっと蕎麦屋でも」ということはあまりありませんが、何かのきっかけで一緒に、それも二人きりで蕎麦をすすらなければならなくなった時、私は結構、緊張します。

蕎麦というのは、なかなか難しい食べ物です。蕎麦のすすり方。つゆのつけ方。人によって様々な「道」がある。

私はその辺、全くこだわらないのですが、あまり親しくない人と一緒に蕎麦を食べる時は、「相手がどの程度『蕎麦道』にこだわっているのか」が、非常に気になってしまうのです。

具体的に困るところといえば、「音のたて方」でしょうか。蕎麦をすする時にどの程度の音をたてるかということは、その人のポリシーによってずいぶん違います。外国育ちの人は、

「私、どうしても音をたてて蕎麦をすすれないのよ」

と、パスタを食べるように静かに蕎麦を口に運ぶ。一方では、

「ズゴゴゴゴーッ！」

と、歯医者さんが口腔内にたまった唾液を吸い込む機械並みに大きな音をたてて蕎麦を吸引する人もいる。

どんな人と一緒に蕎麦を食べるかで、私の食べ方は少し変化するのです。外国育ちの人、もしくは本当の外国人と一緒の時に、自分だけ豪快な音をたてててすするのは、ちょっと勇気がいる。また、相手がゴーゴーと蕎麦を吸っているのに、自分だけ音をたてずにすする

のも、つまんない奴って感じがする。

要するに私は、蕎麦を食べる時に相手のリズムを崩したくないのです。蕎麦愛好家はたいてい、体内の独自の「蕎麦食いメトロノーム」のようなものを持っており、一定のリズムにのっとって蕎麦をすすっていく。同席している者は、その人にとって伴奏者のようなものでしょう。だから〝相手のリズムを乱してはならない！〟と思う。

となるとやはり、初対面の人との蕎麦は難しい。何度か伴奏をしたことがある相手であれば、蕎麦を食べる時のリズムやクセなども摑《つか》めているので安心なのですが、初めての人の場合は「相手がまず、どう出るか」ということが全くわからない。アレグロなのか、アダージョなのか。フォルテシモなのか、ピアニシモなのか。何もわからずに伴奏に入らなければならない、その不安さよ。

他の食べ物を食べる時には何も感じないのですが、こと蕎麦を食べる時に関してだけは、伴奏者体質になってしまう私。やはり蕎麦だけは、よく知っている人との連弾が一番いいなぁと、思うのです。

クリームソーダ解禁の場

たまに、ゴルフをします。そしてゴルフをした後に楽しみにしているのが、「クリームソーダを飲む」こと。

ゴルフが終ると、たいていの人はお風呂に入って、さっぱりします。それから食堂へ行き、休憩しながら談笑する人が多い。

して、この時に何を飲むか。たいていの人は、冷たいビールをキュッと飲むのが嬉しいようですが、私はお酒が飲めません。でも、やっぱり冷たいものをゴクゴク飲みたい気持ちになる。そこで登場するのが、あの緑色のクリームソーダなのです。

私は、ゴルフ場以外でクリームソーダを飲むことはありません。何ていうか、損をした気持ちになってしまうから。甘いソーダ水にアイスクリームを浮かべたクリームソーダは、かなりカロリーの高いものです。しかし、アイスクリームはソーダの中に入っているため、つい軽い飲み物感覚で、ヤッてしまう。実際には高カロリーを摂取しているのに、それに見合った充実感を覚えることができないので、損をした気になるのです。

しかしゴルフ場では、それが気になりません。なにせゴルフをワンラウンドまわってきているので、〝かなりのカロリーを消費したはずだ！〟という自負がある。クリームソーダのカロリーくらい、ぜんぜん平気！　と大きな気持ちで、堂々と飲むことができるのです。

またクリームソーダは、「喉《のど》が渇いている」という気持ちと、「疲れたから甘いものが欲しい」という気持ちを同時に満たす機能を持っています。ゴルフ場の食堂にケーキやあんみつがおいてあればまた話は別ですが、モロキュウやチーズ盛りあわせはあっても、甘いものはないのが常。メニューの中で最も甘いものが、クリームソーダなのです。

アイスクリームとソーダ、二種が混ざった食物である故、様々な味を楽しむことができるのも、クリームソーダの醍醐味です。そのせいかクリームソーダの飲み方には、人によって色々流儀があるようで。

私の場合はまず、ストローを突っ込んで、緑色のソーダ部分をゴクゴクと飲み、渇きをいやすことにしています。この時、底の部分にストローをつけてしまうと、シロップがよく混ざっていなくて、甘い部分のみ吸い込んでしまうことがあるので、要注意。グラスの真ん中部分でストローを止めましょう。

ソーダを飲んだら、次にスプーンを手にとって、アイスクリームだけを食べます。「甘いものを食べたい！」という欲求を満たすのです。浮いているので食べ方が難しいのですが、丁寧にすくう。

半分ほどアイスクリームを食べたら、ストローでちょっとだけかきまぜ、アイスクリームとソーダが混じってパステルグリーンになった部分を、グググと飲む。アイスクリームとソーダを一気に混ぜ、泡をブクブクたてながら飲むのが好きな人もいるようですが、私は混ぜては飲み、混ぜては飲みという方式を採用しています。

そうこうするうちに、もう残りは少ない。氷にへばりついたアイスクリームをしゃぶりとる、といった手もありますが、もう大人なのでその辺は我慢。もちろんストローで「ズズズーッ！」なんて音もたてないようにして、ごちそうさまでした。というようにクリームソーダは、ビールと違って何種類もの味を楽しめる優秀な飲み物なのです。クリームソーダをメニューに採用していないゴルフ場食堂経営者の皆さん。ぜひ、この機会にご一考を！

海外旅行と日本食

海外旅行に行った時、日本食を食べたくなるかどうか。これは、人によってだいぶ違うようです。旅慣れた人というのはたいてい、

「私は旅に行ったら現地のものしか食べませんね。それが旅の醍醐味じゃないですか」

と、自慢気に言うことになっています。

私は、旅行二日目くらいから、ついつい〝日本食、喰いてエ……〟と思ってしまうタチ。先日、ヨーロッパ方面に旅行した折りも、日本料理店を探すとまではいかなかったものの、寿司屋の夢など見てしまった。


これは歳のせいなのか、という気もしますが、思い返してみれば私は、女子大生の頃から変わっていないのです。女子大生時代、私は友達とたまにハワイのコンドミニアムに遊びに行きました。その時は必ず、ソーメン、麵つゆ、つぼ漬け、こんぶのつくだ煮、永谷園の麻婆《マーボー》春雨、そして麦茶のパックなどを日本で買い込み、持参していた。

ビキニを着てビーチに寝転び、真っ黒に日焼け。それからコンドミニアムの部屋に戻って冷蔵庫を開ければ、麦茶が冷えている。それをイッキ飲みしてからおもむろに鍋に湯を

わかし、ソーメンを茹でる。真っ青な海が見渡せるコンドミニアムでソーメンをすすりつつ、

「やっぱりハワイで食べるソーメンはウマイね！」

などと言い合っていたのです。

海外に行った時の日本食志向は、歳をとる毎に強まってきているような気もします。イギリスで寝呆《ねぼ》けた味の魚のソテーなど出てきた時は、ボーイさんにバレないように（バレるだろうが）そっと醤油のパックを取り出し、数滴たらす。

「やっぱこれだわ」

と、納得。おばあさんのような行動です。

もちろん、現地の食事も楽しみなのです。おいしい料理も、たくさんある。しかしその手の料理を食べてから宿に戻り、意味のわからないテレビを眺めていると、やっぱり日本食のことが脳裏に浮かんでくるではありませんか。ごはん。つけもの。そば。まんじゅう。スキヤキをひと口だけ……などと考えはじめると、もう色々なものが食べたくなってしまう。一緒に旅をしている人と、

「帰ったら、何食べる？」

などと話し合っている自分に気づくのです。

が、しかし。日本に戻ってくると、その熱情は急速に冷めてきます。旅先では「寿司にうどんに……」など考えるとせつない気持ちにすらなったのに、ケロッとしてしまう。

おそらく、外国においては〝食べられない〟と思うから余計に日本食への郷愁は強まり、日本に戻ると〝いつでも食べられる〟と思うからそれほど食べたくなくなってしまうのでしょう。高校生時代、試験勉強中に見たくてしょうがなかった映画も、試験が終ってしまうとそれほど見たくなくなってしまったのと似ています。

ということで先日のヨーロッパ旅行から帰ってきた日の私は、寿司屋にくりだすことはありませんでした。〝出かけるのも面倒だしなぁ〟と、コンビニで梅干しとこんぶのおにぎりを購入。肉屋さんで、コロッケ一つと鶏の唐揚げを三つ購入。肉屋のおじさんに、

「明日のお弁当のオカズかい？」

と聞かれ、「アタシが今晩食べるんです」と言いづらかったために、

「ええまぁ、そんなようなモンで……」

と曖昧《あいまい》に返答。海外旅行から帰った時って、こんなものなのかもしれません。

タネあってこそ……

夏の果物というのは、何となくせつない味がします。ビワ、サクランボ、そしてスイカ。いずれも、「どうだ！」と主張するような味ではありません。

まだスイカは、たくさんの量を食べることによってパンチの無い味を補うことができます。しかしビワとサクランボは、味がはっきりしない上にタネがやたらと大きく食べる部分が少ない。食べる度に、「食った気がしねぇなー」と思わせる果物なのです。

そんなある時、サクランボを食べながら友達が、

「タネ無しのサクランボが開発されたんだって？」

とつぶやきました。私はすぐ、

「そんなのガセネタに決まってる。あるわけないじゃん」

と反論したのですが、考えてみればタネ無しのサクランボがあったら、ちょっと嬉しいかもしれない。果肉の量は一気に増え、タネを気にせずに、あの紅《あか》くツヤツヤの表面に歯を立てることができる……。

ビワにしても、そうです。オレンジ色の果肉をちょっと齧《かじ》ると、すぐに茶色いタネが何

個も並んでいる。実はビワ好きな私は、そのタネを見る度に、〃ああ、ビワの果肉だけ、思いっきり食べてみたい……〃と、思ってしまうのです。

しかし私はそこで〃本当に、タネ無しのサクランボやビワが開発されたら嬉しいか？〃と自らに問うてみました。熟慮の結果、答えは「ＮＯ」。

いつも邪魔に思えてしまうタネですが、考えてみたら、本当はタネがあるからこそ、つまり食べる部分がちょっとしかないからこそ、サクランボやビワに惹《ひ》かれている気もするのです。もしサクランボがスイカくらいの大きさになって、タネも小さくなってしまったら、果たして今ほど〃食べたい〃と思うかどうか。ビワにしても然《しか》り。

そう考えてみると、ビワやサクランボというのは、「いい女」ってやつに似ています。外見は、とっても愛らしい。スイカのように緑地に黒のイナズマ模様、といった前衛的ともキッチュとも言い難い、冷静に考えてみればその大きさから言ってもとても果物とは思えないものと比べると、色といい形といい、本当に美しいのです。

しかしスイカは、腹を割って話してみると、とってもいい奴です。皮はあくまでも薄く、タネは小さく、赤い果肉の量は豊富で、一人ではとても食べきれない。「醜女《しこめ》の深情け」という言葉を、思い出します。

対してビワとサクランボは、その容貌《ようぼう》で人を引き付けておきながら、いざ食べてみると、思う存分味わわせてはくれないのです。果肉はほんの少しだけで、あとはタネ。〝もっとたくさん、食べたーい！〟と思っても、高いのでそうは買えない。

「アタシはお金のかかる女なのよん」

と、嘲笑《あざわら》われているような気分になります。

でも、そういう冷たいところがまた、いい女のいい女たる所以《ゆえん》でもあるのです。全てをさらけだしては神秘性が薄れることを熟知していて、いつもちょっとしかご褒美を与えずに気を持たせておくのが、いい女の常。ビワもサクランボも、知ってか知らずかそのテクニックを身につけているのです。普段はブスに優しくされているだけでもいいけれど、やっぱりたまにでもいいからいい女とデートしたい、と思う男性と同じように。

私は初夏の一時期、サクランボとビワを買います。決してあなたが嫌いなわけではないのよ……と、スイカに言い訳をしつつ。

氷ケチ

子供の頃の話。夏の暑い日が続くと、冷凍庫の氷はすぐになくなってしまいました。我が家では「クーラーをつけるのは夕食の時間以降のみ」という不文律があり、それ故昼間は暑かった。兄も私も、コップに氷を入れては麦茶を入れてガブ飲みしていたのです。冷凍庫の氷受けがカラになっているのを見ると母親は、

「氷を使ったら作っとく！」

と怒っていました。兄も私も、氷を数個コップに入れ、麦茶を注ぐと、もう意識が「冷たい麦茶」にだけ集中してしまって、とても「製氷皿の氷を出し、新たに水を注いで冷凍庫の中に入れておく」などということをする気にはなりませんでした。だから夏期、我が家の冷凍庫は慢性的に氷不足だったのです。

そして、今。自分が大人となり、独立して「自分の冷凍庫」を持つようになって、あの頃の母親のイラだちがやっとわかるようになりました。本当に、夏の氷というのはみるみるうちに消費されていくものなんですね。

特に客が来た時は、氷の減り方には加速度がつきます。私は普段、一つのコップに二個

か三個しか氷を入れないのですが、人によっては五個も六個も入れる場合がある。別に氷くらい、何個使ってもらってもかまわないのですが、〝人ンちの氷だと思ってバカバカ使いやがって……〟と、知らず知らずのうちにイラついている自分がそこにいることに、ふと気付く。

この気持ちは、ティッシュペーパーに対する気持ちとも似ています。私はティッシュペーパーを異常に大切にする癖を持っています。だから、水を少しテーブルにこぼしたくらいで、ティッシュを二、三枚取って拭き、それをゴミ箱に捨てる人などを見ると、イラついてしまうのです。特にそれが自分の家においてだったりすると、イラつきと言うよりも殺意に近い感情が湧いてくる。

友人知人が我が家のティッシュを豪勢に使い、

「あら、無くなっちゃったわ」

とケロッと言う時に怒りを感じるように、

「あら、氷がもう無いわ」

と言う時も、私は実は怒っているのです。氷の場合は、使いきってしまったからといってすぐに手に入るものではありません。新たな氷を作るには、製氷皿に水を張り、数時間は冷やさないとできないのです。理不尽だとはわかっていても、

「使ったら、作っとけー！」

と、心の中で叫んでいる私なのでした。

料理番組を見ると、たとえばお菓子作りの時など、

「氷を入れた大きなボウルの中でこの小さなボウルを冷やしながら、混ぜるといいですね」

というシーンが出てきがちです。私はそんな時も、

「普通の家でなぁ、たかだか菓子作りのためにそんなに大量に氷を使ってたら、麦茶を飲む時の氷が無くなっちまうんだよッ！」とブツブツとつぶやき、〝こんな菓子は絶対に作らん〟と心に決めているのです。

もちろん、「ちょっと濃い目の熱い紅茶を、氷をたくさん入れたガラスのポットに入れて一気に冷やし、濁りの無いアイス・ティーを作りましょう」なんて本に書いてあっても、そんなことはしない。

なぜ氷に関して私はこんなにケチなのか。「冷たいものがものすごく飲みたいのに、冷凍庫に一個も氷が無い」という状況に対する恐怖心がそうさせるのかもしれません。ああ、氷をいっぱい入れたアイス・ティーが飲める日は、いつか来るのだろうか……？

メニューが知りたくて

イタリア料理やフランス料理のレストランに行くと、メニューがわからないで困ることがあります。パスタや前菜は何とかなるのですが、メイン料理のメニューというのは、果たしてそれがどんな料理なのか、想像しづらいことが多い。

「仔牛の○○煮込み」「スズキの××風」「鴨《かも》の△△ソース」などとなっているそれらの料理。仔牛やスズキや鴨までは理解できるのですが、その後の○○や××、△△の意味がわからないのですね。

○○や××も、カタカナで書いてあるので読むことはできるのです。しかしそれがどんな味なのか、どんな料理方法なのか、想像できない。

そこで私は、給仕の人に質問することになります。

「○○煮込みってどういうことですか?」

と。するとと彼は、

「○○というイタリアのお酒と色々な野菜と一緒にお肉を煮込んだもので……」

と説明してくれる。しかしそれで満足するわけではありません。わからないのは、○○

だけではないのです。××や△△も含め、八割の料理は、暗号のような単語が使われていて、尋ねずには料理の内容を摑めそうにない。

しかし全部尋ねるには膨大な時間がかかって、給仕のお兄さんにイヤな顔をされそうです。かつ〝こいつ、料理のことなーんにもわかってねぇでやんの〟なんて思われそうでもあります。他の人は、尋ねないでもみんなわかってるのかしらん……？　と、おおいに逡巡《しゅん》。結局、二、三は尋ねるのですが、あとは〝もうこれ以上は申し訳ないっス〟という気持ちになって、

「じゃあアタシ、この『仔牛の○○煮込み』でいいや」

となってしまうのですね。

そして私は思うのです。〝どうして、普通の日本人に理解できるようなメニューの書き方にしないのだろうか？〟と。

私たちは日本人なので、ソバ屋さんに行けば、「たぬき」は天かすで「きつね」は油揚げのことだと、別に聞かなくてもわかる。しかし西洋の料理となると、たとえ外国では「たぬき」や「きつね」並みに常識的な言い回しであったとしても、そのままメニューに出されてはわからないわけですね。

もしかしたら、わざとわからないように書いているのかも、とも思います。わからない

料理のことを、客が店の人に質問する。それによって、客側と店側のコミュニケーションがより深まる……ってな具合に。余計な心遣いだけど。

それとも、一般には意味のわからない単語を使ってメニューを書くことが格好いい、という気持ちがあるのだろうか。でもバブルの時代じゃあるまいし、今時そんなこと考えるわけないしなぁ……。

と考えると、わからない単語を好んで使用するわけが、どうしてもわからない。

外国では、観光客がよく行くようなお店では、料理名の横に、「肉と野菜を蒸してからどうしてこうして……」的な解説がついているメニューがよくあります。それを読んで頼んでも、出てくる料理は想像とは全く異なるものだったりするのですが、それはそれで楽しかったりする。

私のような者のためにも、日本の西洋料理店でも、その手のメニューがあったらいいなぁと思います。〝あのさー、ここのシェフが色々と外国語を知ってるっていうことはよーくわかったけどさー、できれば日本語使ってメニュー書いてくんないかなー〟と思いつつ私は、

「これって、何ですか？」

と今日も質問を繰り返すのです。

甘味店の美学

ある日の夕方、私は新宿のデパートで一人で買物をしていました。デパートは久しぶりで、〝たくさん物があるなぁ〟と感動しながらエスカレーターで上下していると突然、お腹が空いてきました。

街中でどうしようもなくお腹が空いた時、女性が一人という立場は割と困るものです。立食いソバとか吉野家は、なかなか入りづらい。家に帰れば何かあるけれど、それまでに血糖値が下がりすぎて倒れそう。

空腹を抱え、途方に暮れてそのデパートをウロウロしていると、とても良いお店を見つけました。呉服売場の片隅に、とある有名甘味店の支店があったのです。

私はデパートの紙袋を抱えて、一目散にその店に入りました。席について御膳《ごぜん》汁粉を頼み、ふと周囲を見回してみると。

客は女性だけでした。呉服売場のそばだけに若い客は少なく、ほとんどが私と同じように一人。脇《わき》にデパートの紙袋を置いています。そして、クリームあんみつとか、白玉ぜんざいとかを黙々と食べているのです。

私は、何となく嬉しくなりました。一人で甘味を食べる女性同士の連帯感、のようなものを感じたのです。

それはおそらく、立ち食いソバ屋さんにおけるサラリーマンの連帯感と似ています。彼等は立ち食いソバ屋において、

「テンプラね。卵入れて」

と慣れた口調で注文します。そこには、

「えっと、コロッケソバってどういうのですか？」

などと聞くトウシロはいない。さっさと注文し、さっさと食べて帰っていく客ばかり。客同士はお互いに干渉することはありません。立ち食いソバだけで食事を終えるちょっとしたテレと後悔を共有している者同士、「サラリーマンっつーのも、大変だよな……」という無言の挨拶《あいさつ》をしつつ、店を去る。これぞ、男の美学。

甘味店にも、同じムードがあるのです。

「田舎汁粉と御膳汁粉って、どう違うんですか？」

などと聞くトウシロはいない。自分なりの好みとこだわりを持った女性達がさっさと注文し、さっさと食べる。「我慢しきれなくて一人で甘いものを食べる」というちょっとしたテレと後悔を共有している同じ店の女性達に対して、「買物って、疲れんのよね……」

という無言のエールを送りつつ、素早く席を立つ。これぞ、女の美学。

やがて私の前に、御膳汁粉が運ばれてきました。なめらかで艶《つや》のあるあんの、美しい紫色。そして透明感のある甘味。これを一人で存分に味わうことができる幸福感に、私はしばらくの間、酔いました。

渋いバーの常連客というのは、「夜、一人で静かに酒を飲んでいる時に、若い女の子が来てキャアキャアやられると、ムッとするね」というようなことを言うものです。

お酒を飲まない私ですが、何だかその気持ちもわかるような気がするのです。デパートの買物帰り、一人で静かに汁粉を楽しんでいるところに何人かのオヤジがやってきて、

「黒蜜《くろみつ》と白蜜、どっちがいいかなぁ」

「クリームっていうのはアイスクリームのことか？」

などとわいわい騒がれたら、聖域を侵されたようで私は彼等を蹴り出したくなるであろう。

でもまぁ、今は男女平等の世の中。静かにしてムードを乱さないのであれば、午後の甘味店に男性を迎え入れないわけでも、ないですが。

尽くしモノ

頭では「やめておいた方がいい」とわかっているけれど、つい魅力的に思えてしまうものが、世の中にはたくさんあります。食べ物にしても、甘いものや油っこいものなど、健康に悪いものはたいていおいしい。

そしてもう一つ、いつも「やめておいた方がいい」と思いながらつい食べてしまうものが私にはあるのです。そう、それは「尽くし」モノ。

尽くしモノとは、ある一つの食材を、様々な方法で調理してコースにするというやつ。よく地方の料理屋さんで見かけます。「こんにゃく尽くし」とか「鮎《あゆ》尽くし」とか。

尽くしモノには、誰もが一瞬、惹かれるのです。地方の名産を使っていたりすると、〝ここでしか食べられないものだし。この機会に、色々な調理法で味わうのも、お得かも〟とスケベ心が起きる。けれど最後には絶対飽きて〝やめときゃよかった〟と思うのが、尽くしモノの宿命でもある。

確かに、尽くしモノは、最初の一品、二品まではおいしく食べることができます。私も先日、「豆腐尽くし」のコースを食べたのですが、最初に出てきたシンプルな冷奴《ひややっこ》と、二

品目のあんかけ豆腐は、

「さすが、豆腐の専門店ね」

と、嬉々《きき》として食べていた。

しかし三品目になると、突然飽きます。豆腐は結局、どう煮ても焼いても豆腐でしかない。あまりにもサッパリしているため、このあたりで、

「ロースカツ、喰いてェ……」

という煩悩が湧いてきてしまうのです。ご飯と味噌汁（ちなみに具は豆腐）が出てきても、

「豆腐じゃヌケない（ごはんのおかずにならない、の意）」

などと下品なことを口走っておりました。

京都で「生麩《なまふ》尽くし」を食べた時も、途中から辟易《へきえき》しました。実は私、生麩は好物中の好物。いつも、懐石料理や松花堂弁当の端っこにちょこっとだけあるのをとっておいて最後に食べるのを、無上の楽しみとしていました。だから〝一度でいいから、生麩をお腹いっぱい食べてみたい……〟と、かねてから夢見ていたのです。

しかし、生麩はいかんせん、お腹にもたれました。生麩の田楽、生麩の煮物あたりで既に満腹状態。汁物に揚げ物……と最後まで食べた時は、胃に鉛を詰めたようで、しばらく

生麩は見たくないという心境になった。

やはりどんなにおいしくても、どんなに好物でも、「尽くし」は飽きるのです。色々なものを少しずつ食べてこそ、それぞれのおいしさを噛みしめることができる。

それは、男女関係と同じかもしれません。どんなに魅力的でも、どんなに愛していても、朝から晩まで、三六五日一緒にいるのは飽きてしまう。やはり色々なものを少しずつ、というのが理想的……とか。

しかし人は、その事実を知っていながら、つい「一人の異性尽くし」ができるのではないか、と幻想を抱いてしまうのですね。一回「豆腐尽くし」に懲りていても、「生麩尽くし」のメニューを見るとつい食べてみたくなってしまうように、Aさんに飽きて別れても、Bさんに出会うと〝この人となら、一生うまくやっていけるのではないか……〟なんて思ってしまう私達。ま、その思い込みが、現代日本の結婚制度をかろうじて支えているのかもしれませんが。

それにしても豆腐尽くしの三品目で飽きてしまう自分を見ていると、その結婚制度ですら、風前の灯《ともしび》のような気がしてならないのですが。

ソースへの飢餓感

根っからの関東人なので、濃い味が好きです。ダシの利いた関西風が嫌いなわけではありません。関西に行けば行ったで、「ウマイのぅ」と思うのです。

何かの食べ物に調味料をかけて食べるということがよくありますが、その調味料がやや不足気味という時に、私の「濃い味好き」の虫は最も激しくうずきます。たとえば、漬物。上品な料理屋さんで、コースの最後にご飯ものと一緒に漬物の盛りあわせが出てきたとする。

「お醤油はかかってますから」

と、仲居さん。

しかし見てみると、醤油はほんのひとたらしだけ。白菜の漬物など、表面の一枚二枚くらいしか醤油色がついていない。こんな時私は、〝もっと醤油を……！〟と思うのだけれど、恥ずかしくて「お醤油下さい」とは言えないのです。

このジレンマが最も深まるのは、お好み焼きを食べる時です。私は焼肉やお好み焼き、もんじゃ焼きなどの「焼きモノ」は他人に焼いてもらうのが好きなのですが、お好み焼きの時は一つだけ、イラつくことがあります。そう、それはソースの量。

大人になってしまうと、ソース味の食べ物を食べる機会が幼少時代に比べると少なくなってしまうものです。だからせめてお好み焼きをたまに食べる時くらいは、たっぷりとソースをつけて食べたい。お好み焼きというのは、ソース味を味わうための食べ物である、という認識が私の中にはあるのです。

しかし世の中には、お好み焼きにうすーくしかソースを塗らない人がいます。まるでツヤ出しのためだけにソースを塗っているかのよう。青海苔と鰹節をその上からふりかけて、「これで完璧」などと自信満々に出されると、その上からさらにタップリとソースをかけるなどという下品なことがしづらくなってしまう。

本心ではもちろん、お好み焼きがソース色に染まるほど、ソースを塗りたいのです。食べた時にしっかりとソース味を感じるために、表面だけではなく、切った後のお好み焼きの側面、つまり厚みの部分にもソースを染み込ませたい。

マヨネーズもたっぷりつけたいものです。「マヨネーズ下さい」と言うと、小袋入りのものを出してくれるお店がありますが、あれはすぐなくなってしまうから嫌い。

でも根がケチだから、数十円の小袋マヨネーズとはいえバンバンと追加注文する気になれず、〝ああ、マヨネーズをもっとかけたい……〟と思いながら、ケチケチ使ってしまう情けなさよ。だからたまにマヨネーズをチューブごと出してくれる太っ腹な店に出会うと、それだけで「この店はいい店だ！」などと感激するのです。

この調味料への飢餓感は、要するに「ないものねだり」です。そこに醤油さしやマヨネーズのチューブがどんと置いてさえあれば、〝ああ、私は好きなだけ醤油（もしくはマヨネーズ）を使うことができるのだ！〟と、私の精神は安定する。結果、思ったより醤油やマヨネーズを使用する量は少なくて済む。

しかし醤油さしやマヨネーズのチューブがそこに無いと、もしくはあっても気軽に手に取れない状況だと、どんどん飢餓感が増してしまう。本当はその味に満足していたとしても、〝あの時、もうちょっと醤油をかけることができたら……〟という未練が、いつまでも残るのです。

というわけで関東地方で料理店を経営する皆さん。テーブル上の調味料は、なるべく欠かさないようにして下さいね。

プリン性格判定法

世の中、プリン好きの人って多いですね。プリン好きの人はたいていメロンとフルーツ牛乳も好き、というのが私の持論なのですが。プリン好きの人というのは、おしゃれなイタリアンレストランへ行っていざデザートという時、マチェドニアだのズコットだの、他にも色々とデザートはあるのに、カスタードプリンがあるともう他のものが目に入りません。

「プリン！　プリン！」

と叫んだりして、とても可愛らしいものです。

私にとってプリンは、好きでも嫌いでもない「ふつう」な食べ物です。売っているプリンの中では、モロゾフのがけっこう好きですが。

プリンを食べていて、いつも非常に気を遣ってしまうことが、一つあります。それは、いわゆるプリンの部分と、底にある（もしくはお皿にあけた場合は上にある）カラメルソースの部分との、配分の問題。

プリンの醍醐味というのは、卵とミルクの色をした柔らかなプリン部と、香ばしいカラメル部を口の中で混ぜ合わせるところにあります。プリン部だけを食べるのでは、カレーライスでライスだけ食べているようなものだし、逆もまた然り。

　プリンの場合、プリン部とカラメル部分を、最後までうまい具合に配合して食べるのが、実に難しいのです。特に、皿にあけず、カップに入ったままで食べる時、それもカップが陶器でできていて不透明の場合、その難易度はアップします。

　なぜそれが難しいのかと言えば、ズバリ「このプリンの下に、どれだけのカラメルソースが埋蔵されているのか？」というのが、上から見ただけではわからないから。

　とりあえず最初は、プリン部のみを一口、二口食べてみます。これは、蕎麦っ喰いが、最初に蕎麦を何本か、つゆにつけずに食べてみるようなものでしょう。

　そして三口目は、ザクッと底までスプーンを入れて、カラメルソースを確認するのです。茶色いカラメルが表面に湧き出てきた時は、石油のボーリングに成功した時のように、「うひょ」と幸せな気分になるものです。

　が、それからが問題です。調子にのって無駄使いをすれば油田もいつかは枯れるように、プリンにおけるカラメルソースも無限ではない。プリンにとってカラメルソースは、限りある大切な資源。プリン部にどれだけのカラメル部をまぶして食べるか、細心の注意を払わなければなりません。

他人がどんなプリンの食べ方をするかによって、その人の性格を知ることもできます。たとえばプリン部はまだ残っているのに、カラメル部が途中でなくなってしまうのは、「大名喰い」です。こんな人を配偶者にもらうと、あなたは一生お金に苦労をしなければならないかもしれません。

また反対に、カラメルが途中でなくなってしまうのを恐れるあまりケチりすぎ、最後に大量のカラメルが残ってしまうのは、「貧乏臭い」。こんな人と結婚したら、一生吝嗇《りんしょく》生活を余儀なくされることでしょう。

大名喰いも貧乏喰いもイヤだと、最初にプリンとカラメルをグチャッとまぜてから食べる人も稀《まれ》にいます。しかしこれは、反則技。幼児性の強い性格かもしれません。

てなわけで、意外と当たるかもしれない「プリン性格判定法」。結婚が間近という方は、婚約者と一緒にぜひ、お試しください。ちなみに私はどっちかというと、カラメルが余りがちな「貧乏喰い」の方なのですが。

タコヤキが食べられない理由

私は今、食べたくてたまらないものがあります。ものすごーく食べたいのだけれど、どうしても食べられないのです。

してそれは何かというと、「タコヤキ」。なぜタコヤキが食べられないのかというと、その中途半端性に原因があります。タコヤキは、食事なのか、オヤツなのか、そしてタコヤキは、一日のうちいつ食べるものなのか。どうも、理解できない。

屋台などで売っているタコヤキというのは、だいたい一つのパックに八個くらい入っているものです。原料はほとんど粉みたいなものですから、あれを一人で食べると、お腹《なか》いっぱいになることでしょう。しかし、タコヤキだけでお昼を済ませるというのは、いかにも寂しい。

ではオヤツに、と思うと、あまりにタコヤキ八個は重すぎるのです。三時のオヤツにタコヤキを平らげたら、夕食の時間になってもお腹が空《す》きそうにありません。

一人で食べようとするからいけないのだ、誰かと一緒にわけっこして食べればいいではないか、という意見もあるでしょう。しかし一緒にいるのが男であろうと女であろうと、

「ちょっとお茶でもしない？」

とは気軽に言うことができるのですが、

「ちょっとタコヤキ食べない？」

とはなかなか言えないのです。

私が自意識過剰なだけかもしれません。しかし特に相手が男性の場合は、相当親しい間柄でないと、自分からタコヤキに誘ってはいけないような気がしてしまうんですけど。青ノリが歯についたりもするし。

関西の人であれば、幼少の頃からタコヤキに馴染んでいるでしょうから、そんな悩みはないのだと思います。しかし私は東京生まれ。さり気なく他人をタコヤキに誘うということが、どうしてもできません。

タコヤキ屋さんの数自体、関西に比べると東京は少ないと思います。だから、〝ああ、タコヤキが食べたいッ……。あの、湯気で花かつおがゆらゆらと揺れてるところを、『アツツッ』とか言いながら口に放りこみたい！〟と、思いっきりムラムラしているのに、近くにタコヤキ屋さんがなかったりする。だからと言ってわざわざ遠くまで行って食べるほどのものでもないような気がする。

さらにタコヤキは、自分で手軽に作ることができるものでもありません。我が家には当然ながら「タコヤキ焼き器」が無いのです。

中学校の修学旅行で東北に行った時、南部鉄器の工場でタコヤキ焼き器をつい買ってしまい、とてつもなく重いそれを持って中尊寺だの十和田湖だのを巡らなくてはならなかった級友を当時はみんなで馬鹿にしたものですが、今となってはその器具を貸してほしいくらい。ああ、竹グシでクルッと丸くひっくりかえしてみたい……。

……と、このように諸般の事情により〝タコヤキ食べたい〟と悶々《もんもん》としながらも食べられずに、はや数年（マジで）。このままでいくと、私は一生、タコヤキを食べられないのではないかと不安になってきます。

しかし「人間、本当に何かを欲している時は、どんなことをしてでも手に入れるものだ」とも言います。私も、タコヤキ食べたいなどと言いながら食べられないでいるということは、実は心の奥に「タコヤキ食べたくない」という気持ちが隠されているのではないか。

「黙ってついておいで」と、私をさらうようにしてタコヤキ屋さんに連れていってくれる、タコヤキの王子様が現れないものか……という妄想をたぎらせてはみるもののそんなことがあるわけはなく、私は今日もタコヤキの夢を見るのです。

世話好きグルメ

年末年始。忘年会だの新年会だの、会合の多い季節です。

仲間内で集いをする時、幹事はたいてい、食べるのが好きで、おいしいお店を色々と知っているという、「世話好きグルメ」が行なうものです。自分の知らない店に行くことができるのはとても嬉しいのですが、同時にこの「世話好きグルメ」が取り仕切る集いの時は、参加する方も気を遣うのが事実です。

世話好きグルメというのは、自分が仕切った店に、絶大の自信を持っています。

「絶対おいしいのよ」

とか、

「ここの鍋のダシは絶品」

などと、行く前から参加者の気分を盛りあげに盛りあげる。

が、しかし。人の味覚というのは様々ですから、食べてみて〝それほどおいしいかなァ……〟と思ってしまうこともあるもの。

また幹事が、

「すっごく雰囲気もオシャレでステキなお店なの。マスターもいい人だし……」と言っていたのに、行ってみたら何だか落ち着かない店で、マスターも単に「馴《な》れ馴れしい人」だったりすることもある。

参加者が「行ってみたら、それほどでもなかった」という気持ちになってしまうのには、世話好きグルメ側にも責任があります。あまりにも事前に「おいしいんだから」などと言いすぎてしまうため、参加者の気持ちの中で、期待が膨らみすぎてしまうのです。

映画でも芝居でも、雑誌で激賞されているのを目にしたり、「すっごく良かった！」などと言う人の話を聞いたりしてから見てしまうと、期待していた分、「それほどでもないじゃん」という気持ちになってしまうもの。

料理屋さんにしても、同じです。フラッと入った店がちょっとおいしいと「スゲーうまい！」と宝物を発掘した気分になる。しかし、「目茶苦茶においしい。あの店で食べずには死ねない」などと絶賛する言葉を耳にして、胸一杯の期待を持って行くと、「この程度？」と、みるみるしぼむ。

ということで、世話好きグルメが仕切った宴会というのは、しばしば期待と現実のギャップが大きかったりするのです。が、本人が「絶対おいしい」という確信を抱いているため、もちろんそのことをちょっとでも表情に出すわけにはいきません。

「どう？　おいしいでしょ？　最高でしょ？」

などといきなり聞かれるので、

「おいしーい」

と答えざるを得ない。

この手の失敗を犯しがちなのは、まだ若く、経験不足な「世話好きグルメ」です。若きグルメは、自分がグルメであるということを周囲に知らしめたくてしょうがないので、盛んに仕切りたがるし、「おいしいのよ」と宣伝したがる。

しかし世話好きグルメとして経験を積むうちに、その手の人もだんだんと真実がわかってくるのです。そう、名幹事の座右の銘は、「能ある鷹《たか》は爪を隠す」。優秀な幹事はたいてい、

「どんなお店なんですか？」

と聞かれても、

「いやまぁ、別にたいした店じゃないけどね……」

などと言って、参加者の事前の期待を最小限に抑えておきながら、とてもおいしい店をセッティングするのです。

そう、良い宴会は、良い幹事とともにある。年末年始、楽しい宴会ライフを過ごすには、「遠慮深い。でも自信あり気」という幹事を選ぶ選択眼も、必要のようです。

ジャムの波状攻撃

世の中、何事にも「波」というものがあります。たとえば、電話がやけにバンバンかかってくる日もあれば、反対にコトリとも鳴らない日もある。ポストに入りきらないほどの郵便物が来る日もあれば、広告のハガキ一枚しか来ない日もある……。

そして最近、我が家にとある「波」が訪れました。それはどんな波かと言えば、「ジャムの波」です。

お歳暮が届いたと思うと、それは紅茶とジャム（大ビン×二）のセット。別のお歳暮も、ジャムだった。そうかと思えば、軽井沢帰りの人に戴《いただ》いたお土産は、高原のブルーベリージャム。間髪を入れず、別の友人からは手作りのジャムを、二ビンほどいただく。……という風に、みるみるうちに手持ちのジャムが増えていったのです。

政治家とか、偉い人のご家庭ではお歳暮の時期、「活《い》き伊勢海老の波」とか「松阪牛の波」などが訪れ、てんやわんやになるのでしょう。伊勢海老や牛肉は日持ちがしないでしょうから、さぞかし大変だと思います。

それに比べれば、ジャムは日持ちのする食べものなので、あせらなくてもいいのです。

とはいえ我が家には今、十ビンほどのジャムがある。これをどう消費するかは、今の私にとって大きなプレッシャーです。

だいたい、お歳暮というのは、「まっとうな家庭」において重宝するようなものが贈られることが多いのです。ジャムや佃煮《つくだに》、錦松梅のフリカケなどは、大勢の家族がいて、三度三度の食事をちゃんと皆で食べるという正しい食生活があってこそ、きちんと消費されるもの。

「うち、ジャムなんかすぐになくなっちゃうわ」

という家庭からは、健全な印象を受けるものです。

しかしジャムも佃煮もフリカケも、それ自体をパクパク食べるような性格の食物ではありません。トーストを焼いたり、ごはんを炊いたりしなくては、食べられないのです。

だから「すぐ食べられる」「すぐ飲める」ものばかり摂取しがちな独り身の者にとっては、重圧となります。冷蔵庫を開ける度に、〝右の奥には食べかけのジャムが……〟とか〝左の奥にはずっと前の佃煮が……〟などとわかってはいるのだけれど、手を出せない。やけに長期間、冷蔵庫の中に死蔵されることになってしまうのです。

私も、あまりトーストを食べません。朝は焼くのが面倒なのです。だからジャムといってもせいぜい、ヨーグルトに混ぜて食べるくらい。一ビンあれば一年は持つ、という感覚です。

「お菓子を作ればいいのよ」

とおっしゃる方もいるかもしれませんが、トーストを焼くのも面倒だと思っているこの私が、お菓子作りに精を出すわけがありません。

人にあげよう、とも思います。しかしジャムは、とても重いのです。我が家にいらした人に、

「ジャム、いらない？」

と聞いてみても、

「重いからいい」

とか、

「ここにボトルキープしておく」

といった返事がくるばかり。

我が家には、この先十年分くらいの、ジャムの備蓄があるのです。もし地震が来ても、ジャムだけには不自由しない。とはいっても、ジャムだけ舐めてるわけにもいかないしなぁ。

というわけで、大量のジャムをもらって初めて、自分の食生活のまっとうでなさ加減を

確認した私。これからトーストなども食べるようにして、コツコツとジャムを減らしていきたいと思っています。

温泉にないもの

先日、とある温泉に行ってきました。メイン・ストリートに沿って大きな温泉宿が何軒も並び、ポツリポツリと「ヌード」とか「ソープ」といったネオンと土産物屋がある、昔ながらの温泉街です。

私はこの温泉街において、「今、日本の温泉に最も欠けているもの」を、発見しました。それは何かと言ったら……。そう、「コーヒー」です。

温泉宿に泊まる。夕食を食べる。その食事はおいしいところもあれば、そうでもないところもある。しかしまぁ、品数だけは多いので、お腹がいっぱいにはなる。

と……しかし、どうも物足りないのです。お酒を飲む人であれば、食事の後はバーで一杯ということもあるでしょうが、たとえば女同士だったりすると、食事の後は、

「コーヒー、飲みたいわよね」

ということになる。

温泉街でコーヒーを飲ませてくれるところは、あまりありません。それも「おいしいコーヒー」となったらさらに数は減る。

「ラウンジでコーヒーをお出ししております」

となっている宿もありますが、朝（それも旅館の朝は早いので、九時までだったりする）だけだったり、インスタントコーヒーだったり。

私は、無理とは知りつつも、その温泉街でコーヒーを探すことにしました。もちろん宿には、ない。宿から出れば喫茶店の一軒くらいはあるかもしれないと探してはみたけれど、喫茶店も見事にない。あるのは飲み屋だけ。わずかにコーヒーらしきものと言えば、自動販売機の缶コーヒーのみ。町全体が、「この世の中には『コーヒー』という非常にポピュラーな飲み物がある」という厳然たる事実を無視している雰囲気なのです。

私は、普段は別にそれほどのコーヒー好きというわけではありません。一杯も飲まない日だって、あるのです。しかし無いとなると俄然《がぜん》、飲みたくなってくる。

〝コンビニで買う「モンカフェ」でもいいから、飲みたいーッ！〟と、イライラしてくるけれど、そこにはコンビニも無い。

とうとう私は、食後にコーヒーを飲むことを諦めました。寝る前にコーヒーを飲んで目が冴《さ》えるという話はよく聞きますが、その夜はコーヒーを飲めずに悶々として、かえって目が冴えてしまった。

一泊か二泊なのだから、コーヒーくらい我慢しろ。温泉に入れるだけでも有り難いと思え。温泉宿には日本茶と決まっているのだ。……という意見もあるでしょう。しかし温泉宿だからこそ、私はくつろぎたい。そして、食事の後に一杯のコーヒーを飲むことによってリラックスすることができるという人は何も私だけではあるまい。だいたい今の日本において、コーヒーってそんな特殊な飲み物か？　別に、特別なコーヒーを飲みたいわけではないのです。エスプレッソやカプチーノなんて、望みません。どこの喫茶店でも飲める、ごく普通のブレンドコーヒーがあれば私は満足するのに……。

というわけで、ドトールコーヒーやスターバックスコーヒーといったコーヒーチェーンの皆さん。全国の温泉街に一軒ずつ、支店を出すっていう案は、いかがでしょうか。今まで、温泉に来てコーヒーを飲みたくてしょうがないのに我慢してきた人というのは、かなり多いのではないかと思います。夕食後、浴衣姿で一杯のスターバックスコーヒー……なんていうのも、悪くない光景のような気がしますが。

「柿」と「ピー」の割合

私は、柿のタネとピーナッツが混ざっている「柿ピー」を食べるのが、ちょっと苦手です。何て言うか、柿のタネと、ピーナッツの配分に、ものすごく気を遣ってしまうから。

柿のタネとピーナッツの関係というのは、カレーとごはんの関係と似ています。辛いカレーとマイルドな白米を混ぜ合わせ、ちょうど良い味にして食べるという発想は、辛い柿のタネをマイルドなピーナッツで中和するそれと、同じ。

しかしカレーライスと柿ピーの間には、決定的な違いがあります。それは、「マイルド」側の分量、という問題。

カレーライスにおいて白米は、常に潤沢に支給されるものです。たいていの場合、カレーライスは、手早くお腹《なか》をくちくさせるために存在しているものですから、白米の量が少なくては話になりません。

対して柿ピーにおけるピーナッツは、柿のタネに対して圧倒的に少数なのです。ピーナッツがおいしいからと、配分も考えずにポリポリ食べていると、後で侘《わび》しい思いをしなければならないことになる。

柿ピーを食べる時は、だから気を遣うのです。まず袋を一見した時に、柿のタネとピーナッツがどれくらいの割合で混ざっているかを、ざっと見極める。そして、〝柿のタネ五個に対して、ピーナッツ一粒の割合だな〟という目安を決め、それに忠実に、食べるのです。最初のうちは、柿のタネのみをポリポリして、〝こうしておけば、後からピーナッツ不足で苦しむことはない〟と倹約気分を楽しむこともあります。「アリとキリギリス」のアリさん的思考と言えましょう。

しかし世の中には、おいしいからと、先にピーナッツばかり食べてしまう、キリギリスさん的思考の人も、いるのです。ピーナッツ二粒に対して柿のタネ一個、などという大胆な食べ方の人も、いる。

そんな人と一緒に柿ピーを食べなければならない時、アリさんとしては非常にイライラします。こちらは一生懸命に柿のタネばかり食べてピーナッツを貯めているのに、貯めた端からキリギリスさんが奪っていく。ふと見てみれば、袋に残っているのは柿のタネばかりで、ほとんどピーナッツが残っていないではありませんか！

普段は温厚なアリさんも、さすがにここではキレます。

「さっきから黙って見てりゃあいい気になりやがって、ピーナッツばっかり食べてんじゃねぇよっ！」

と。

しかしキリギリスさんは、一向に気にしない。

「は？　キミもピーナッツが好きなら、食べればいいじゃないの。無理して柿のタネなんか食べないで」

と、しれっとしてピーナッツを食べ続ける。「それはそうだけど……でもそれは柿のタネを食べる上でのマナー違反ってやつで……」と、まだうじうじする、アリさん。

結局この勝負、キリギリスさんの勝利に終ります。すっかりピーナッツを食べ終ったキリギリスさんは、柿のタネしか残っていない袋を残して、プイとどこかに行ってしまうのです。

というわけでアリさん気質の私は、いつも一人で小袋の柿ピーを食べています。そして隣の人の柿ピー小袋に柿のタネだけが残っているのを見る度に、〝アタシはまだこんなにピーナッツがあるもんね〟と誇らしい気持ちになりながらも、〝それがどうだってんだ？〟という虚しさも、覚えるのでした。

体育会系イタリア料理

フランス料理店がガンガン潰れているのに対して、イタリア料理ブームはまだおさまる気配を知らないようで。確かにイタリア料理というと気軽な感じがして、きばらずに行くことができる気がします。

が、しかし。イタリア料理店で気になることが、一つ。それは、「挨拶」なのです。イタリア料理店の中で、よりカジュアルなムードを持つ店へ行くと、突然大きな声で、

「ボナセーラ！」

なんて言われたりするあの挨拶。あれ、何とかならないもんですかね。

まだ従業員がイタリア人であるというのならば、我慢もしましょう。しかし、

「ボナセーラ！」

と叫ぶ男性は、どう見てもサッパリした生粋の東アジア顔。

明らかな同朋から、東京の真ん中にあるレストランにおいて、

「ボナセーラ！」

と言われると、弱気な私は、困惑します。東京ディズニーランドに行った時、「ここは

おとぎの国。ミッキーの中に人が入ってるなんて思ってはいけない」とファンタジーを信じなくてはならないように、東京のイタリア料理店では「ここはイタリア。『ボナセーラ！』と叫んだ人は、日本人の顔をしているけれどそんなことを気にしてはいけないのだ！」と思わなくてはいけないのか。その手の店の雰囲気というのは、たいてい明るいものです。「イタリア人は明るい。だから、この店も明るい！」という論理なのだと思います。

しかし、客から見るとその明るさは、「イタリアの明るさ」と言うよりは、「居酒屋の明るさ」に通じているのです。学生が行くような居酒屋の従業員というのは誰もが異様なほどにハイテンションで、

「はいビール一本！」

とか、

「喜んで！」

とか、腹の底から声を出してキビキビと働いているものです。そしてその様子は、

「ボナセーラ！」

「グラッツェ！」

などと、教えられた符丁を忠実に大声で叫ぶイタリア料理店の若者の姿と、酷似してい

る。ピッツェリアにおいて思わず、

「モロキュウ、ひとつね」

などと言いそうになっている自分がいるのです。

思いかえしてみれば、今まで色々な国の料理が流行りました。しかしこの「ボナセーラ現象」というのは、イタリア料理独特のものです。

バブルの時代は、たまーにおしゃれなカフェなどで、

「イエス！」

などと叫ぶ従業員がいたものですが、フランス料理店において、日本人から、

「ボンソワール」

と迎えられたことは私の記憶の中ではないし、インド料理店で日本人から、

「ナマステー」

と送られたこともない。

しかしまぁ、つい日本人をして「ボナセーラ」と言わせてしまうところが、イタリアがブームとなる所以、なのでしょう。

やけに明るい日本人従業員の多いイタリア料理店においては、暗い顔をしてはいけないような強迫観念に襲われてしまうのがツライ、私。いつの間にか自分まで、

「ごちそうさまッ！」

といつもより大きな声で言っており、それに対する返答は体育会の後輩からのようで、

「グラッツェっす！」

と聞こえてしまう。店を出ると、軽い疲労を覚えてしまうのでした。

食欲不振時の楽しみ

一年に一回ほど、風邪をひきます。

前回の風邪の時は、まずお腹《なか》が気持ち悪くなり、食欲がなくなりました。そして次第に節々が痛くなり、熱も出てきて……。

看病してもらおうと、私は実家へ駆け込みました。しかしそこにはいきなりガーリックトーストとレバーペースト、というものすごいメニューの食事が。

「久しぶりに作ったけどこのレバーペースト、おいしいわよぅ」

などと勧められたものの、

「あっあたし……マジで食欲ないから……」

と丁重に断り、梅干しをしゃぶるのみ。〝梅干しもおかゆも無い外国の人達って、風邪の時は何食べてるのかなぁ……〟と、熱にうなされつつ床の中で考えていたのでした。

風邪で食欲が無い時というのは、肉体的には確かにつらい状態なのだけれど、精神的にはさほど悪くない、ものです。普段、獰猛《どうもう》なまでに食に対する欲求が強い自分であるからこそ、「なんにも食べたくなーい……」と思えてしまう自分が、新鮮に思えてくるのです。

風邪がピークの時は、おかゆだってほんの一口しか食べられません。少しでも油分があるものは匂いすら嗅ぎたくなくて、果物も欲しくない。薬を服《の》むための水を口に含むのすら、おっくうだったりする。そんな「病気のアタシ」がいとおしくもあったりして。

ちょっとは痩せるのではないか、という淡い期待もあります。周囲の人は気を遣って、

「少しは食べないと体力つかないわよ」

などと言って下さいますが、食べられない本人は、「食べられない」という状態が、実はまんざらでもなかったりする。〝これがあと三日くらい続けば、苦労せずに三キロは痩せられる……ハズ〟などと、冷静に目論《もくろ》んでいるから。

実際、ストレスで食べられない状態になっている女性を見ると、「食べられないほどのストレス」という原因に対しては不満足でも、「食べられない」という現象に対しては満足している、というケースがあります。

そんな時は、周囲がいくら、

「もっと食べないと、倒れちゃうわよ」

などと言っても、無駄。彼女の気持ちの中では、〝私はストレスでこんなに苦しんでいるのだから、せめて痩せでもしなくちゃ苦しみ損だ〟くらいの気持ちでいるのだから。

「ダイエットに使えるものは、ストレスでも使え」ばりの根性です。

彼女は、ここぞとばかりに食べずにいることでしょう。そして、健康的かどうかは別の問題として、見事に激ヤセした肉体を、手に入れることでしょう。実際、その手の「ストレス・ダイエット」を成功させた友人も、一人や二人ではありません。

そして私も、薄く期待を抱いてみた「風邪ダイエット」。しかし私の場合は悲しいかな、どうやら回復力が強すぎるらしいのですね。寝込んだ翌日から、食欲はどんどん回復の一途をたどります。

さらには、少しでも食欲が出てくると、それまで〝ラッキー、食べられねぇや〟などと思っていたのに、今度は急転して、

「やっと食べられるようになったのだから、身体のためにも食べなくては！」

と思ってしまうのが、私の悲しい性《さが》。

「せっかく機会を摑んだのだから、ここで我慢せねば！」と思うことができるダイエット成功者達と、おおいに異なるところです。

あたためますか？

今まで、私には密かなる二つの「食生活の自負」のようなものが存在していました。一つは、前にも書きましたが、「コンビニのお弁当を食べない」ということ。そしてもう一つは、「回転寿司を食べない」ということ。

かなり若い頃から、女同士で吉野家へ行ったり立ち食い蕎麦を食べたりすることは躊躇しなかった私ですが、コンビニ弁当と回転寿司、この二つだけは、どうも「女たるもの、手を出してはならない」もののような気がしていたのです。

が、しかし。ここにきて、一つの自負が、失われてしまいました。そう、私は、とうとうコンビニのお弁当を食べてしまったのです。

それは私に、面白いことや楽しいことばかりが訪れていた時のことです。金曜日の夜、ぽっかりと一人の時間がありました。〝カレーでも作って食べようかな……〟とは思いましたが、仕事もたまっていてどうも、おっくう。

その時なのです。私に悪魔がささやいたのは。

「最近はコンビニのお弁当も、けっこうおいしいらしいよ。一回、試してみればいいのに」

　気分的に有頂天だった私は、ついその言葉に耳を傾けてしまいました。〝そうねぇ、たまには一人でテレビを見ながらお弁当っていう思いっきりジャンクな夜も、いいかもねぇ……〟と。

　確かに、もし私が精神的に落ち込んでいる状態の時であったら、そんな気にはならなかったことでしょう。落ち込んでいる時に食生活まで貧しくすると、ますます救いようがなくなるということはわかっているから。

　しかしハイになっていた私は、コンビニへと走りました。そしてお弁当コーナーまで行ったはいいのですが。

　どうも、恥ずかしいのです。お弁当コーナーの前に金曜の夜に立ってる独身女のアタシ、という存在が、うしろめたくってしょうがない。おそらく、レンタルビデオ店でアダルトビデオを選んでいる男性の気持ちと、同じようなものなのではないでしょうか。

　私は、お弁当を一つ選びとり、なるべく人目につかないように、コソコソとレジに向かいました。幸い、レジにお客さんは並んでいません。薬局で生理用品を買う時のような気分です。

　なるべくさり気なく、レジにお弁当を置きました。そしてとうとう、恐れていたことを

店員さんに言われてしまいました。そう、

「あたためますか？」

と。ああ、今まで聞く度に〝アタシとは一生無縁のセリフだわッ〟と思っていたフレーズが、今自分に向かって放たれているとは……！

「いえ、結構です……」

私は、下を向いて答えました。そして、お弁当を平らにして持つような袋を隠すようにして、家路を急いだのでした。

そして、いよいよ食べてみたコンビニ弁当の味は、と言えば。私には、あまりおいしいとは思えませんでした。と言うより、罪悪感のあまり、自分で「おいしい」と思わないようにコントロールしていたのかもしれません。

しかしとにかく、一人で食べるコンビニ弁当の夕食、というのは、ラクであることは確かであるけれど、快適でないことも確かです。この先、このラクさにズルズルと引きずり込まれないように……。元来、怠惰な性癖を持っている私としては、これからますます自戒しつつ生きていかねばならぬ、とカツを入れなおしてみるのでした。

くるくる

ロンドンに行ってきました。今回、ロンドンにおいて驚いたこと。それは「くるくる寿司」つまりは回転寿司、の繁盛ぶりでした。

おしゃれなブティックやインテリアショップが立ち並ぶ一角へ行った時。〝やっぱり今のロンドンは、勢いがあるって感じ！〟などと感じ入りつつ歩いていると、ひときわ目立つ、おしゃれなお店を発見しました。

〝これは何のお店かしら？〟と思って覗いてみれば、全面ガラス張り、そしてインテリアは白で統一されたくるくる寿司、ではありませんか。

昼時をとっくに過ぎているというのに、カウンターは人でいっぱいです。それも、日本人が故郷の味を懐かしんで食べているわけではありません。

客層の多くは現地の人、というか、少なくとも日本人ではない人ばかり。それも、相当スノッブな感じのおしゃれをした人達が、格好良くくるくる寿司のカウンターに座っている。

〝はぁ、外国人の考えることはわからんのぉ……〟と感心しつつ次の日、おしゃれなデパートに行ってみたところ、なんとそこにも、くるくる寿司がありました。それもデパート最上階、おしゃれなカフェの隣、というすごい好立地。カフェではアフタヌーン・ティーの優雅な銀食器が使われている隣で、寿司が回っている。客層はやはり、非日本人ばかりです。

日本生まれのくるくる寿司が外国で受け入れられているのは喜ばしいことなのでしょう。しかし、どうも腑に落ちないものを、私は感じたのです。

私達日本人の中では、「格好いい」という形容詞と「くるくる寿司を食べる」という行為を結びつける訓練が、できていません。くるくる寿司というのは、なーんにもしたくないような気の抜けた日、

「くるくるでも行くかァ」

と、思いっきり他人の目を意識しないファッションで出向くもの。また、そうするのがルール、という感じの場所。

そんな感覚を持つ日本人にとって、「おしゃれしてくるくるを食べる外国人」というのは、「畳の上で寝っ転がっていたらいきなり土足で上がり込んできた外国人」のようにも見えるのです。

もちろん日本においても、おしゃれで格好いい人が、

「くるくる寿司っていいよね」という発言をすることがあります。しかしそれはあくまで、「もちろん最先端のことも知ってるわけだけど、だからこそくるくる寿司のようなジャンクな食べ物をも受け入れられる、『ハズシ』を理解してる俺」をアピールするために言うこと。

多くの日本人は、「くるくる寿司って、確かに安くてそれなりにおいしいけど……。でもやっぱり、入る時にテレちゃうし、中で知り合いに会ったりすると気まずいよね」的な、「ちょっとした恥部」感覚を持っているのではないか。

その「ちょっとした恥部」が、ロンドンなんちゅう都市で、堂々と、おしゃれに、くるくる回っていたりするから、私達は「あーっ、もう勘弁してーッ」と、恥ずかしくなるのですね。席についているノズルからお茶を出す白人女性、など見ると、

「そんな姿を白昼堂々、全面ガラス越しに見せつけないでーッ」

と、哀願したくなってしまう。

おそらくこれから、くるくるブームは全世界へと、広がっていくのでしょう。これから海外旅行へ行く度に、くるくるを見てはテレなくてはならないかと思うと、ちょっと疲れそうで、心配です。

＊

追記……くるくるを巡る事情はその後、大きく変化した。日本におけるくるくるは既に恥ずかしい食べ物でもジャンクフードでもなく、ごく普通の日常食となったのである。筆者もその後、ロンドンにて初くるくるを体験した後、日本でも無事くるくるデビュー。げに食の変化のスピードは、恐ろしい。

腹八分目編

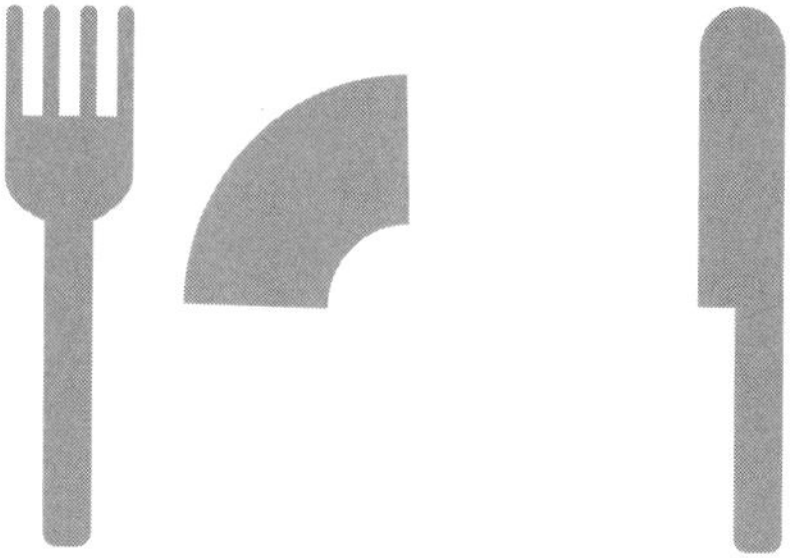

会議の弁当

「少しだけ知っている人」と一緒に食事をするのは、気詰まりなものです。

ソバ屋さんで相席をして、全く知らない人と隣り合わせで食べるというなら、ただ無視していればいいのです。しかしたとえば何かの会議や会合などで、

「全く知らないわけではないけれど、本来なら一緒に食事をするほどの因縁は無い」という人と一緒の時は、変な気を遣わなければなりません。

会議や会合の時に出される食事というのは、塗りの器などに入っている少し高級目の幕の内弁当、が多いものです。そしてまずは、一座の中で誰が一番最初に食事に手をつけるかで、一同が頭を悩ませることになる。

一番の年長者や地位が上の人がさっさと食べ始めてくれれば、後の人も食べやすいのです。しかしその手の人がいつまでも話に夢中で、お弁当の蓋も開けない状態だったりすると、残りの人は不幸です。既に会議が長引いて、空腹。そして目の前には食べ物。だというのに、いつになったら食べられるのか……という、生き地獄状態。

やっと食べ始めることができても、気は休まりません。一座の中で一番早く食べ終った

ら手持ち無沙汰《ぶさた》になってしまいそうだし、また特に下っぱの場合は一番遅くなってもいけない。なるべく周囲と、食べるペースを合わせなくてはなりません。

私の場合は、普段から食べるのが遅いので、急ぎ気味に食べることになります。しかしだからといって、黙って黙々と食べるわけにも、いきません。

周囲があまりよく知らない人達だからこそ、「全員沈黙して弁当を食べる」という状態は恐い。適当な話題を提供したり、あいづちを打ったりという行為をも、同時にこなさなくてはならないのです。

そんな時、幕の内弁当の中に「食べにくい食物」が入っていると、イラつきます。たとえば、巻き貝が煮てあるようなもの。つま揚枝《ようじ》で身を刺し、ニュルニュルッと貝殻から引き抜くわけですが、その手の時に限って、うまく引き抜けないのです。そして〝こんなところで足止めをくっていたら、食べ終るのが遅くなってしまう！〟と、泣く泣くあきらめる。

さらには、貝を持って煮汁で濡《ぬ》れた指先をどこで拭いていいかも、とまどいます。誰にも見られないようにコソコソと、割り箸の入ってた袋になすりつけたりして。

天麩羅の海老も、悩みどころです。普段であれば、尻尾の奥の奥の身まで食べるのに、何となく気兼ねして、中途半端なところでやめる。

さらにはデザートについていた櫛《くし》切りのオレンジも、〝これにこの場でかぶりつくのはなぁ……〟と躊躇して、まるでクリームソーダの中に入っているサクランボのように、本当は食べたいのに残したりして。

当然、そんな風にして食べる高級幕の内弁当というのは、あまりおいしく感じないのです。ただ周囲に合わせて食物を咀嚼して飲み込んだだけ、という感じで、食べる喜びが伴わない。

会議が終り、ホッとして外に出ると。ついさっき、幕の内弁当を食べたばかりだというのに、小腹が空いている自分に、気づきます。〝食った気がしねぇ、とはこのことナリ……〟などと思いつつ、あんみつ屋さんに入る。そして一人でクリームあんみつを食べる幸せよ。

一人の食事は味気ない、と言いますが、少しだけの知り合いと理由なく一緒に食事をするくらいなら一人の方がずっと気楽だなァ、と思う私です。

他人の空腹

空腹に著しく弱い、という人がいます。います、と言うより、私がまさにそれなのですが。お腹が空いてくると、急激にイライラが募り、手先が痺れ、他人の話も耳に入らなくなってくる。何か悩みがある上に空腹という時などは、出口が無いような、絶望的な気分になってきます。血糖値が低い、という状態なのだと思うのですが。

この「空腹による不調・絶望」は、なかなか他人に理解してもらえません。

「元気ないけど、どうしたの？」

と問われて、

「いや、ちょっとどうしようもなくお腹が空いてて……」

とは、なかなか格好悪くて、言えない。もし言ったとしても、

「なーんだ、お腹空いてるだけなのね」

と、軽ーく流されてしまう。

しかし本人にとって、空腹による不調は、非常に大きな問題なのです。病気なわけでもないのに、悲しい気持ちになったりイラついたりしてしまうのだけれど、そのツラさの原

因が単なる空腹となると、他人にあわれんでももらえない。

特に「血糖値の低下に鈍感な人」と一緒にいる時は、悲劇です。世の中には、空腹に弱い人とは反対に、やたらと空腹に強い人もいる。そんな人と一緒に時間のかかる仕事をしなければならない時のつらさと言ったら。食事の時間はとっくに過ぎているというのに、

「そろそろメシにしますか」

という話題が一向に出てこないのですから。

血糖値の低下に敏感な私は、空のお腹をかかえ、途方に暮れます。「この先、まだまだずーっと食事をすることができないのではないか」という先の見えない恐怖感も加速度的に募って、イライラは増すばかり。

血糖値の低下に鈍感な人は、そんな私の気持ちを理解できません。自分は一日一食でオーケー、みたいな身体なので、他人がそこまでツラがっているとは、夢にも思わず、〝何をそんなにイラついてるわけ？〟みたいな顔で、平然と仕事を続行する。

空腹によるイラつきが高じると、今度は悲しみに襲われます。〝人間にとって三度の食事は当たり前の行為なのに、なぜ私は今、食べられないのだろう〟〝ああ、なんで私、空腹くらいのことでここまで悶《もだ》え苦しんでいるのだろう〟などと思うと、自分が情けなーくなってくる。

一度私は、あまりの空腹による悲しさと情けなさで、本当にしくしくと泣き出してしまったことがあるのですが（ただし、ごく若い頃のお話）。その時は、一緒にいた人に大層驚かれたものです。

その人は血糖値の低下に鈍感な人だったから、「空腹で泣くなんて人がこの世にいたのか？」と思ったのでしょう。さすがの私も恥ずかしく、以降どんなに空腹でも、涙だけは我慢するようにしているのですが。

自分が極端に空腹に弱い、と気づいてから私は、空腹感に恐怖すら覚えるようになりました。精神の均衡が失われるのがわかっているから、空腹感がやってくるだけで「どうしよう」という気持ちになる。最近は、空腹になっても平気でいられるように、カロリーメイトでも常に携帯しようかとも思っています。

しかし何より思うことは、もしも結婚するのなら、血糖値の低下に鈍感な人だけは避けたい、ということ。他人の空腹を理解できない人と一緒に暮らすことだけは、できそうにない。けれど、自分と同じように空腹に弱すぎる人も、また面倒な気がします。何かっつーと「ハラ減った！」と騒がれるのもねぇ……と、自分のことは棚に上げて、考えてしまうのでした。

名物に対する疑心暗鬼

福岡へ行った時、鶏の水炊きを食べました。私はそれまで本物の水炊きを食べたことがなかったので、地元の方々に水炊きのおいしい店へ連れていっていただくことになって、大変嬉しかった。

水炊きは、確かにとてもおいしい食べ物でした。が、ここで一つ私が心配になったのは、「地元の方々は、普段から水炊きを食べているのだろうか？」ということです。

「名物」という言葉が有名無実化していて、その名物を求めるのは観光客だけ、地元の人は普段、作られた名物を口にすることはない……という話がよくあります。もしや水炊きもその手の名物だったら、地元の方を付き合わせることになって申し訳ないなァ……と、思ったのですね。

そこで、

「普段も水炊き、召し上がるんですか？」

と尋ねてみたところ、

「ああ、よく食べますよぉ。何かというと、水炊き食べてますねぇ」

との答え。

私は、その返事を聞いて何だか嬉しくなりました。やはり観光客というのは、観光用として用意されたものよりも、その土地の日常に触れたい、という思いを持っているものだから。

食べ物にしても同じで、「観光客用のレストラン」よりも、「地元の人しか行かないような、知る人ぞ知るレストラン」を有り難がる傾向がある。だから、「博多っ子は日常的に水炊きを食べる」という話を聞いて少し、〝私の観光姿勢は、間違っていないのだ!〟と安心することができたのですね。

帰り際、空港でお土産を買う段階になって、また私は疑心暗鬼になりました。「観光用土産」に騙《だま》されたくない!という思いがあるからです。

博多土産といえばまず、明太子です。これは、東京でも買うことができるとはいえ、確かに地元の人も常食しているらしい。ということで、買い。

次に、「ロイヤル」のスイートポテト。私は知らなかったのですが、このお菓子はとてもおいしいと評判で、サラリーマンが福岡出張に行く時など、わざわざOLからリクエストが出るほどらしい。地元の人がいつもおやつに食べているかは知らないけれど、そんなにおいしいならと、買い。

次に目についたのは、「ひよこ」でした。「ひよこ」と言うと、東京駅でも売っていたりして、東京名物だと思っている人も多いお菓子。しかし実は、福岡名産なのですね。

「子供の頃、よく食べたなぁ」

という福岡出身者の声についグラッときて、買い。

というわけで、地元の人の生活に密着しているのだかいないのだかイマイチよくわからない土産構成になってしまったのですが。よく考えてみれば、土産というのは今や、「地元への密着度」など、どうでもいいものなのかもしれません。

東京名物「雷おこし」を、東京の子供達が普段のおやつに食べているかといえば、そうではない。「おこし」はあくまでもお土産対策用に残っているお菓子です。土産という習慣がなかったら、絶滅していたお菓子かもしれません。

今は、「名物がお土産になる」のではなく、「お土産が名物になる」という時代。ですから観光をする時はその辺を割り切って、お土産選びをするべきなのでしょう。

「スイートポテトなんて、昔は博多になかった！」

などと言い張っても、今さらしょうがないわけですし。

完全食・餃子

私は、餃子がとても好きです。「ギョウザ」という濁点が二か所にもついている名前を聞くだけで、皮がパリッと焦げて中に肉汁がたくさん詰まったあの食感が思い出されて、幸せーな気持ちになるのですね。

しかしある日、やはり餃子好きの知人達と四人で、餃子談義になった時のこと。私は、一口に「餃子好きの士」と言っても、その気持ちは、実は一つではない、ということに気づかされて愕然としたのです。

その時私達は、「餃子のどこが好きか」ということを、話し合っていました。私は、当然のように言いました。

「やっぱりアレはさ、酢醬油の味を楽しむための食べ物だよねぇ。一口嚙み切った断面に酢醬油をしみ込ませて、肉汁とまざった時の味といったら！　つまり餃子っていうのはさぁ、酢醬油味を楽しむための媒体の役割をしているんだよね。ポン酢味を楽しみたいがためにフグサシ食べてる、みたいなもんでさぁ」

と。

私は、この意見にかなりの自信を持っていました。酢醤油（もちろん、ラー油も入れるが）のしみ込んだ餃子をおかずに白飯をかっ込む幸福感を共有できない人がこの世にいるはずはない、と信じているから。

が、しかし、

「ええっ、それは違うよ」

という反論が、餃子好きの士・Aから、すぐさま出たのです。

「餃子っていうのはねぇ、皮を楽しむための食べ物なんだよ。主役は皮で、中身なんて添え物だし、ましてや酢醤油なんてほんのアクセントでしかない。皮さえおいしければ、中身なんてなくてもいいくらいだ。だから皮にはある程度の厚みが欲しいし、ちゃんと手作りしている店じゃないと、ボクは認めないね」

と。

ええっ、そんな……と私が茫然《ぼうぜん》としていると、餃子好きの士・Bは、違うことを言い出します。

「えっ？　私の場合は、餃子っていうのは、ニラが食べたくって食べているようなものだわ。酢醤油も皮も、あくまで主役であるニラを引き立たせるための従者でしかないのよ。ニラの無い餃子なんて、それは餃子とは言えないわ！」

さらに追い打ちをかけるように餃子好きの士・Cは、

「餃子ってのは、ビールを美味しく飲むために存在するものでしょう……」

と言い出すではありませんか。

……私達の間には、一気に険悪なムードが漂いました。今まで、餃子好きの仲間だと思っていたのに、実はそれぞれ、思うところは全く違っていた。一緒に「おいしいねー」と餃子を食べていても、心は一つになっていなかったのです。

自分がオイシイと信じて疑わなかった部分を、実は他人は認めていなかった。〝「仲間」なんて言葉、嘘っぱちだった……〟と疑心暗鬼になり、人間不信にすらなりかけた、その瞬間。

「でもさぁ、ってことは餃子は、実に素晴らしい完全食ってことじゃん！」

という声が、どこからか湧き上がったではありませんか。

動物性蛋白質《たんぱくしつ》である肉、ビタミンを多く含むニラ、炭水化物の皮。そして適度な、塩分と油分。確かに餃子一つの中には、人間が必要とする栄養素が、調和のとれた形で詰まっています。おまけにビール等の水分も、上手に取り込む。餃子は小さな存在だけれど、それ一つで完全なる食の世界を体現している、とでも申しましょうか。

「どこが好きであろうと、餃子を愛していることに変わりはないのだから……」

と、餃子の完璧《かんぺき》性を意識した私達は、冷静さを取り戻しました。どの部分を愛そうと、餃子は餃子。その度量の深さを意識するにつれ、さらに餃子を愛する気持ちが深まった夜でした。

別れの晩餐

とあるお蕎麦屋さんにおいて、店のご主人と話をしていた時のこと。

デートにも使えるような雰囲気の良いお店だったので、男性達が、「女性を初めてデートに誘う時」についての話をし始めました。何を食べるかとか、何時に行くかとか。誘う側の男性も色々と大変なのだなぁ、と思って聞いていると。

店のご主人が、まるで秘蔵の古酒でもふるまうかのように、

「ふっふっふ」

と、話しだしました。

「いやぁ、そういう時はね。五時半、っていう時間に夕食に誘うのが、けっこうイイんだよ」

と。

はて、なぜ五時半なのか。

「そんな早い時間に誘えば、相手の女性は〝ああ、こんな早い時間に誘われたということは、食事をして、そのあと一軒くらいどこかに寄って、それで早々とおしまいになるのだ

な〟と思って、油断するんだよ。そこが、狙い目」なのだそうで。

なるほどねぇ、「五時半には注意しろ」っつーことだな、などと思っていると、ご主人はさらに話を続けました。

「反対に別れ話をする時は、昼下がりの蕎麦屋がいいんだよね」

と。それはまたどうして、と聞けば、

「蕎麦っていうのは、そうそう長い時間をかけて食べるものじゃあない。その上、昼下がりの蕎麦屋っていうのは、混んでいる。とても腰を落ち着けてじっくり話す雰囲気じゃないから、ダラダラと別れ話を続けるわけにいかずに、サッパリと終ることができるんだな」

というお答えが。

私もこれには、膝を打ちました。私自身、かつて別れ話をする店の選択を誤ったことがあったから。

その時、別れ話の場所として選んだのは、ごく普通の定食屋さん。最後の食事だからといって、洒落た店というのも妙だしな、ということで何となく足が向いたのです。

で、ついついサンマ定食にお浸しに納豆、みたいなメニューを頼み、それがまたおいしくてバクバク食べてしまった私。

丼飯をすっかりたいらげて、

「ふぅ」

などと一息ついている私達は、とても「別れのディナー」をしているようには見えなかったのでしょう。他にお客さんがいなかったせいもあって、定食屋さんのおばちゃんが、にこやかに話しかけてきたのです。

「あなたたち、夫婦じゃないの？」などと。

夫婦ではないのだ、ということを気まずい思いで告げると、

「あらあら。じゃあお兄ちゃん、早いところつかまえとかないとダメだねー」

みたいなことを、おばちゃんは非常に明るく、言うではありませんか。

最後の晩餐《ばんさん》のつもりでいた私達は、そのあまりにカラッとしたおばちゃんの物言いに、

「ハア……まぁなんつーか、あの、その……」

と、口籠もりました。そして、それまでは非常に淡々と乾いていた雰囲気が、一気にウェットに。結局、おばちゃんの言葉がきっかけとなって、その場における交渉は決裂することとなったのです。

というわけで、人情家、もしくは世話好きの店主がいる店での別れ話というのは、避け

た方がいいみたいですね。そしてもちろん、かつて二人でよく来た店というのも。

「別れ話は、昼下がりの蕎麦屋で」。やっぱりこれは、正しいのです。

アジアの連帯感

シンガポールに行った時のこと。

シンガポールを旅するに当たっての私の一番の目的は、やはり食べ物です。現地に住む知人に頼んで、飲茶《ヤムチャ》やハイ・ティー、チキンライス（ケチャップ炒めに非《あら》ず）から海鮮料理まで、隙間《すきま》なく「喰い」のスケジュールを埋めてもらい、万全の態勢を整えて、現地へ赴きました。

そして私は、食べました。元々が中華料理好きなので、三食中華でも、全く平気。そしてもう一つ、中華料理の本場で中華料理を食べる時特有の安心感も、嬉しかった。

その感覚とは、「箸の安心」のようなもの。中国系住民の多い地域で中華料理を食べる時、出てくるのは当然、箸です。そして私は日本人であり、ごく普通に箸を使うことができる。

外国において、自分とそう外見は違わないものの言葉も文化も異なる外国人達の中で、同じ箸を使って、同じくらい器用に食事をする。私は、香港でも台湾でもシンガポールでも、そして香港の人が大量に流出しているというバンクーバーでも、そのことに、安堵《あんど》を覚えるのです。

外国の中華料理屋さんには、欧米人が来ていることもあります。時にナイフとフォークで食事をしていたり、箸を使ってもどこかぎこちない、彼等。

その隣のテーブルで、自由自在に箸を使うことができる自分が、妙に誇らしいのですね。〝アタシなんか、こーんなこともできるもんねー〟と得意になって、わざわざ豆などをつまんでみたりして。

日本人なのだからそれくらいできて当たり前なのですが、〝ネイティブの英語使いが、英語が話せない人の前でペラペラ話す時の気分って、こんななのだろうなぁ〟と、つい思う。

さらに中国系の人というのは、割とフランクなマナーで、食事をします。本来のマナーは厳しいのでしょうが、普通のレストランにおいては、白米の入った茶碗を左手に持ち、おかずを載っけながら、時には肘《ひじ》をついてかっ込んでいたりする。

そんなシーンを見ると、私は妙に嬉しいのです。〝アンタ達には、白いご飯の上におかずを載っけて、おかずとその味がちょっとしみ込んだご飯を一緒に食べる楽しみは、わからんだろう〟とまた、隣のテーブルの西洋人に優越感を持ったりして。

ヨーロッパなどに行く時は、どうしても食事のマナーが、気になるものです。

〝イタリアでは、パスタを食べる時にスプーンを使うのは田舎者だけだって聞いたけど、使っていいのだろうか〟

とか。

〝イギリス人はサンドイッチもナイフとフォークで食べると言うが、手で食べると下品なのだろうか〟

とか。基本的なマナーは知っていても、心から安心できない。

ところが中国系住民の只中にいると、食事中に精神を解放することができるのです。

〝あなたと私は箸仲間。仲間の前でなら、ちょっとやそっとのことは許されるはず……！〟

と、思ってしまうのは、アジアの連帯感、のせいなのか。

ヨーロッパ周遊のパックツアーで、最後に中華料理店に行くと、参加者が皆ホッとするというのも、そこに箸があるから、なのでしょう。

でも気をつけなくてはならないのは、中華料理を食べる箸というのは、日本で使う箸と違って先が太い、ということ。ネイティブ箸使いだからと安心していると、いつ豆をつかみそこねないとも限りません。日頃からのたゆまぬ鍛練が必要、ってやつなのでしょう。

トウモロコシ・コンプレックス

子供の頃、私には夏だけのコンプレックスがありました。それは、「トウモロコシのかじり方が下手だ」ということ。

夏になると、よく食卓に茹でたトウモロコシが出たものです。兄は、前歯を器用に使ってポロポロと一列毎に粒をはずし、非常に美しく食べることができました。

「ケンちゃん（兄の名）は本当にきれいにトウモロコシを食べるわねぇ」

と、よく親に褒められていたものです。

私は、いつも兄の真似をしようと努力しました。しかしどうしても、きれいに食べることができないのです。歯で根元から粒をはずそうと思っても、つぶれてしまったり。結局、食べ終ったあとの軸の部分を見ると、何だか汚い。

「それに比べて順子ちゃんの食べ方は……」

と、親に比較されるのが、いつもつらかった。

特に、他家においてトウモロコシを供された時が、苦痛でした。食べ方が下手だからと、いつまでも手を出さずにいると、

「遠慮しないで、食べてね」

なんて言われてしまう。子供はトウモロコシが好きだろう、と出して下さったのだから、手をつけないわけにも、いかない。〝ああっ、食べ終った時に残る醜い軸を家族以外の人の目に曝《さら》さなくてはならないなんて……！〟と、悶絶《もんぜつ》しそうになりながらトウモロコシをかじったものです。そして食べ終った後には、やっぱり醜い軸と、トウモロコシがいっぱい挟まった前歯が残されて……。

というわけで、夏になると「かじる」ことに対して臆病になってしまった私なのですが。

しかし夏にはもう一つ、かじらねばならないものがあります。

……そう、それは言わずと知れた、スイカ。よく冷えたスイカにかぶりついて、タネをプッと庭に飛ばす。これは夏の醍醐味です。

包丁で、皮と果肉の部分を切り離したものをフォークで食べる、という手もありますが、それでは本当のスイカっ喰いとは言えない。顔と手を果汁だらけにしながらかぶりついてこそ夏、なわけです。

しかし私は、スイカにかぶりつく時も、悩んでしまったのです。特に、やはり他家においてスイカを出されると、私は「どこまでかじっていいものか……」と考えてしまった。

赤い果肉が全く残らないくらいまでかじり切ってしまうのは、何だかキリギリスのようでいやしい気がします。けれど、赤い部分を一センチ以上残すのも、あまりにもったいない。ぜいたくに残しすぎてかえって下品、という感じがする。

そこで私は、五ミリ程度赤い部分が残るように、慎重にかじったものです。そして食べ終った後の皮が汚く見えないようにと、あまりクッキリと歯形が残らないようにと、最後は気をつけて平坦になるようにかじったりした。

そして大人になって、夏。今でも私は、トウモロコシとスイカを他人の前で食べる時は、緊張するのです。

たとえばレストランで、肉のつけあわせとして、軸についたままのトウモロコシがある時など。つい、〝これをかじったら、周囲の人に軽蔑《けいべつ》されないだろうか……〟と、心配してしまう。そして隣の人に、

「トウモロコシ、あげる」

などと言ってしまう。

ああ、いつになったら私はトウモロコシやスイカを堂々と食べられるようになるのか。せめて入れ歯になる前に、思う存分、かじってみたいものだと思うのですが。

鉄板焼のプライバシー

先日、とあるホテルにて鉄板焼を食べました。大きな鉄板の前に鉄板焼師、というかシェフが立ち、肉や野菜を焼いたり、ガーリックチャーハンを作ったりして客にサーブする、というアレです。

久しぶりに鉄板焼ってやつを食べてみて思ったのは、〝何だか……奇妙な食べ方だなぁ、これは〟ということ。その店では、鉄板の周囲に六名の客がつくようになっています。私達の鉄板にも、二名ずつ三組が、シェフを囲むように座っていた。

この形状って、あまりに客同士がよく見えすぎるのですね。当方は女同士で鉄板焼、という不粋な二人だったのですが、対面する側には、一見愛人かと見まがう派手な妻(会話の内容から判断)と年配の夫というカップル。中央には、初老の男性と、日本語のイントネーションがややおかしい、若いアジア人女性という、謎の年齢差カップル。

鉄板焼店ではコース料理が中心となりますが、どの組がどのコースを頼んだかも、一目瞭然です。愛人調の夫婦は、一番高いコース。私達と年齢差カップルは、一番安いコース。

愛人調夫婦の妻が、「やっぱりフォアグラはお醤油で食べるのが一番ねぇ」なんて言うのを聞きながら、焼いた野菜を食べる私達（一番安いコースには、フォアグラは入っていない）。

料理人の前に客が並んで出されたものを食べるという意味においては、寿司屋さんも同じです。しかし寿司屋さんの場合、客が横一列に並ぶため、お互いの顔はあまり見えない。かつ、カウンターがある程度長く、客の出入りもあるため、客同士の間には何のコミュケーションも、生まれない。

対して鉄板焼の場合は、同じ時間から食事が始まる組を同じ鉄板の前に座らせるため、食事の最初から最後まで、三組の客が顔を突き合わせていなければならないのです。当然、他の客の会話も聞こえてこようというもの。その時の私達も、他の二組がかなり個性的だったため、下品とは知りつつもついつい、彼等の動向に目をやってしまうのです。

愛人調夫婦はよくその店に来るらしく、しきりにシェフや従業員に仲良さ気に話しかけ、その常連ぶりを見せつける。年齢差カップルは、〝この後、彼等はこのホテルに泊まるのか、それとも……？〟という疑惑を私達の胸に渦巻かせる。

そして私達はといえば、他人の話を盗み聞きし、

「あの真ん中の二人って、エッチな関係？」

「いや、その割に男性は女性に対して敬語を使っている……」

などとヒソヒソ声で話す。さらには、自分達のちょっと恥ずかしい秘密の打ち明け話などもしたいため、ますます声をひそめるという、あやしい女。

そう、鉄板焼というのは、プライバシーの守られない飲食店なのです。常にシェフとそして他の二組の客の視線を意識しつつ、食事をしなければならない。高層ビルのエレベーターに乗った時の、他の乗客を意識して友達と会話する時の気分、とでも申しましょうか。

食事が終ると、シェフは鉄板をきれいにしてから、その場を去ります。すると六名の客は、入学式で担任の先生がいなくなってしまった時の小学一年生、という気分になる。

「誰を頼ったらいいの」という感じ。

そして、愛人調夫婦が去り、年齢差カップルが去りました。最後に二人、大きな鉄板の前に残された私達は、そこでやっとホッとすることができたのです。

「真正面にいた夫婦ってさぁ、きっと不動産屋か何かで……」

と大声でおしゃべりを始めた私達が、閉店時間までしゃべり続けたことは、言うまでもありません。

京ナントカ

旅における最も大きな楽しみは食事ですが、同時に最も難しい問題が食事である、と言うこともできます。

私はそのことを、特に京都においてよく感じます。旅立つ前は、〝京都に行ったら、おいしいものをたらふく食べよう！〟と思っている。しかしいざ京都に着いてみると、「おいしいもの」はあくまでもイメージ上の「おいしいもの」であって、それを具体的にどうしたら口に入れることができるのか、実はわかっていないのです。

「京都に来たのだから、京都らしいものを食べたい」という希望は、もちろんあります。そして京都の町を歩けば、「京料理」だの「京のおばんさい」だの「京菓子」だのと、「京」という字のついた食べ物屋さんの看板が、あちこちにある。

が、ひねくれた観光客は、京都において「京ナントカ」という表現を見ると、警戒するのです。だってここは京都であるのだから、本来「京」などという文字は不要なはず。それなのにわざわざ京ナントカと断りを書くというのはつまり観光客相手の店だ、ということ。

ガイドブックで調べることも、できましょう。しかしそれではわざわざ観光相手の店に飛びこんでいくようなもの。それもどうも、プライドが許さない。

きっと地元の人は、京ナントカなどと書いてない、知る人ぞ知るという店に行って、おいしいものを食べているのです。ああ、私もそんな店に行きたい……！　と、思います。

先日、京都に行った折り、私はその野望を果たしました。京都生まれの知人に、観光客は行かないようなおいしい和食店に、連れていってもらったのです。京都特有の、間口の狭い入り口から入って暗い通路を通った奥にある、カウンターのお店。もちろん、京ナントカなどと、書いていない。そして大変に、おいしかった。

しかしそのお店に行って私は悟ったのです。京都において、自分も観光客のクセに、「観光客が行かないような店に行きたい」などと思ってはいけない。「地元の人が行くお店」は、地元の人に連れていってもらうだけでいい。いきあたりばったりでこんなお店に出会うわけがない……と。

確かに、あらゆる場所に観光客が入りこんできたら、観光地で生活する人にとっては大きな迷惑です。観光地に住む普通の人の生活を守るために、観光客用の店は、存在する。「京料理」と看板にだしている店は、地元の人が静かに通う和食の店に観光客が入りこまないための防御壁。そして駅のホームでも売っている八ツ橋は、お茶席用のお菓子をひっそりと作る菓子司に修学旅行生が入りこまないようにするための、撒《ま》き餌《え》（なんて言ったら失礼ですけど。八ツ橋もおいしいから）。

地元の人は、

「『家庭画報』やら、雑誌に載るような店にはよう行かんわァ」

と、おっしゃいます。そんな言葉を聞くと、〝ああ私も、雑誌に載らないような店に行きたい〟とは思うのです。

が、私のような者は、雑誌に載る店で満足していた方が、いいのでしょう。京都人のテリトリーに無理に入って邪険にされるよりも、最初から観光客を受け入れる準備がある店に行った方が、心安らかにいられるような気がするから。

「私しか知らない京都のお薦めスポット」なんぞを発掘するのはまだ先でいい。……そんなことを思いつつ、京都駅ビルの伊勢丹で、「京漬物」をお土産に買って帰った私でした。

席を去る人々

世の中には、「電話を切る人」と「切られるのを待つ人」が存在します。

電話で要件を話し終えたら、「じゃまぁ、そういうことで……」的なことを言って、「そろそろ切りましょう」という意志を知らせるのが「切る人」。

対して「切られるのを待つ人」は、自分から絶対に、シメの言葉を口にしない。相手から言われて初めて、「物事には終りっちゅうものがある」ということに気づいたフリをする。

要するに電話を切る人・切られる人の関係というのは、イニシアティブを取る人・取られる人の関係なわけですが。飲食店においても、この関係はにじみ出てくるものです。

たとえば、何人かでの飲み会。ひとしきり食べて飲んで、騒いだとする。時間も深くなってきて、〝そろそろ、お開きかな……〟という気持ちが参加者それぞれの胸に、芽生えてくる。

その時に、誰が「この楽しい集いはここでおしまい」という英断を下すか、という問題は、なかなか難しいものなのです。

会社員の集団であれば、その中で最も地位の高い人が、

「じゃあそろそろ帰るか」

もしくは、

「次、行こうか」

といった指示を出せばいいのです。

しかし同年代同士の集いだと、誰もが〝誰がシメるんだろう〟〝そろそろ帰りたいけどアタシが言い出すのもナンだし〟と、自分以外の誰かに責任をとってもらいたがる。席の上空に「いつ帰れるのだろう」と書かれた雲が浮かんでいるような状態なのに、空虚なおしゃべりが延々と続いていたりするのです。

テーブルの上には、既に冷めた料理やおつまみが、各皿に一個ずつくらい、残っています。そしてグラスには、氷が半分溶けて薄くなった飲み物が。もう何か飲食したいわけでもなし、しゃべりたいことがあるわけでもなし、そしてすっかり夜も更けて、ダルーいムード。

しかしそこでとうとう、勇気ある者が口に出すのですね。

「じゃあそろそろ、出ようか」

……と。

その言葉を聞いた時の、参加者一同のホッとした顔といったら、ありません。まるであらかじめ用意していたかのように素早く上着を着たり、バッグをいそいそと手にしたりする。

次の瞬間、椅子から腰をあげながら彼らがおもむろにとる行動があります。テーブルの上のグラスに手を伸ばし、残っている液体を、ググッと呷《あお》るのです。もしくは、一個だけ残っていたシューマイ、みたいなものを口に放りこんだりする。

私はこの行動を「最後イッキ」と呼んでおります。これは何も飲み屋さんに限ったことではなく、昼間の喫茶店において打ち合わせをするサラリーマン二人、みたいな場合も、

「じゃ、行きましょうか」

という言葉が出た途端、左手で伝票をつかみ、右手では水のコップを持って、イッキ飲みしている。

やはり人間、どんな場合においても最後だと思うと、目の前に残っているものがもったいなく思えてしまうものなのでしょう。男女関係にしても、「いつ別れたっていいや」などと思っていながらも、いざ別れる瞬間になると急に惜しくなって、未練がましい態度をとったりする場合があるもの。

しかしまぁ、席を立ちながらも残ったものを口に入れてしまうという人間の姿は、誰もが持つ「終り」というものに対する寂しさを感じさせて、また愛らしくもあるのですが。

栗むきの苦悩と快感

先日、友人宅で「栗《くり》むき」を手伝いました。いつも秋になると母親が、
「栗ごはんはおいしいけど、栗をむくのが大変で……」
とボヤくのを聞いていたのに手伝ったことはない私は、〝そんなに大変なものかいな〟と思って包丁を握ってみたのですが。……これがマジで大変なんですな。生の栗は大変に堅いため、むくのにも力が必要。そして栗は小さい。持ちにくい上に、手を切らないように慎重にコトを進めなくてはならないし、あまり厚くむいてしまうと食べる部分がどんどん小さくなる。

基本的には、何であれ「皮をむく」という作業は好きなのです。ゆで卵の殻をきれいにむくことができると心身がとろけそうになるし、空豆やきぬかつぎが好きなのも、ツルンと皮がむける快感が味わえるから。ところが栗となると、「皮をむく快感」はほとんどありません。最初の一個にとりかかった途端に絶望感に襲われ、〝これ全部、むくわけ……？〟と目の前の栗の山を見て愕然としたのですが。

しかしなぜかこの手の作業というのは、やっているうちに楽しくなってくるのですね。

まず数をこなすうちに、「ここをこうすればうまくむけるわけね」と、コツがわかってくる。ここしばらく、人間として進歩が止まったような状態にいる私が、何事においても味わうことのなかった、「上達の喜び」というものが、得られるのです。単純作業の楽しさも、そこにはあります。上手に栗をむくことだけに集中して手を動かしていると、日常の雑事や嫌なこと、面倒臭いことをひとときとはいえ、忘れることができる。

そうして一心不乱に栗をむいていると、昔のことが思い出されてきました。母親の手伝いで、サヤエンドウのスジを取りまくったこと。餃子の皮であんを包んだこと。年末、おせち料理のためにカズノコの薄皮をむいたこと……。

この手の単純作業は、一人でやるのでは全く楽しくないことも、私は知っています。目の前に誰かいて、同じ単純作業に集中しながらも、おしゃべりなんかをすることが、楽しいのです。

「しかし原始人達はどうやって栗をむいたのかしらねぇ」

「包丁もないのに」

「最初に食べた人はえらいね」

「ウニみたいなものだもんねぇ」

などと、女同士でゆるーい会話を交わしながらの単純作業は、どこか幸せを感じる行為なのですね。

これがもし一人だったら、そうはいきません。だんだんと栗をむく苦労が鬱積《うっせき》し、〝だいたいね、アタシがこんなに時間と労力をかけて栗をむいたって、栗ごはんなんか一瞬で食べ終っちゃうのよ。そして誰も栗をむいたアタシに対する感謝なんかしないに違いない。アタシばっかりこんな苦労をして……〟となり、栗ごはんが出来上がる頃には、ぐったりと疲れているのです。

マ、そんな思いをするのが嫌だから、最近の人達は栗ごはんなど作らず、デパートの地下で買ったり、料理屋さんで食べたりしているわけですが、たまにやってみると、その手の「労多い」作業も、楽しいもの。もちろん普段やらないことをたまにやるから楽しいのであって、毎日栗をむけと言われたらうんざりするであろうことも、わかっている。

何でも出来合いのものが売られている今となっては、栗をむくことすら、「珍しい娯楽」の一つなのだなぁと思う、秋の夕だったのでした。

期限切れ食品の誘惑

たいていの食品には、賞味期限というものが記載されています。この日までは食べてもいいけどこれ以降は駄目だからね、という日にちが。

しかし賞味期限日の夜十二時をまわった瞬間に、その食べ物が腐り始めるわけではありません。メーカー側の安全対策を考えても、本当に腐ることが予想される日よりもかなり前に、賞味期限は設定されている、ハズ。

……ということを消費者側も予測しているので、ちょっとやそっと賞味期限が切れたくらいの食べ物は、「マ、大丈夫っしょ」と食べてしまう人が多い。

もちろん、私もその一人です。特に私は一人暮らしの身の上ですから、戸棚や冷蔵庫の奥に、すっかり忘れていたような食品や、食べきれなかった食品が、色々と死蔵されているのです。

たまにキッチンの整理などしていると、賞味期限が去年に切れている食べ物が発掘されることもあります。そんな時は自らの食品管理能力の無さを痛感すると同時に、ある種の感慨すら覚えるもの。

ここで問題になってくるのは、「賞味期限ってやつは、どの程度過ぎていても大丈夫なのか？」ということです。そしてこの問題に対する答えは、その時の付帯的状況によって、大きく異なってきます。

まずは、季節。やはり夏だと、少ししか賞味期限を過ぎていなくても〝危ないのでは？〟という気になるし、冬は何日過ぎていようと、〝ぜーんぜん平気〟と食べてしまう。

どんな食べ物かによっても、対応は変わります。乾物や塩分の強い食べ物の場合は、「大丈夫！」ということになりがち。しかしナマモノ度が高くなればなるほど、猜疑心《さいぎしん》は強くなる。

私の場合、比較的胃腸が丈夫で度胸もあるというタイプなので、たいていは「大丈夫！」となるのですが、それでも及び腰になることがあります。それは、他人と一緒に食べる時。

賞味期限切れのものを食べてお腹を下したとしても、自分一人であれば、「やっぱ腐ってたみたいテへへ」で話は終ります。しかしそれが他人と一緒で、他人のお腹を破壊してしまったら。……と考えると、やはり〝やめておこう〟と慎重になるのですね。家族以外の人を助手席に乗せたドライバーのように。

正直に言えば、一日二日の期限切れの場合、他人に食べさせてしまうこともあります。

それが気心の知れた女友達だったりすると、

「これ、賞味期限切れてるけど、大丈夫だよねぇ」

と確認し、

「平気平気！」

と承知を得てから、つまりはもしも何かがあったとしても、

「あなたも平気っていったじゃないの」

と言い訳ができる状態にしておいてから、食べさせるのです。

しかし相手がまだ付き合いの浅い男子だったりすると、つい言い出せないもの。そして黙って食べさせた後で、彼が腹痛に襲われないかどうか、ビクビクしながら見守る。

そもそも、付き合いの浅い男子に賞味期限切れのものを食べさせるなんて信じられない、という話があるかと思います。しかしまぁ、それも他に何も食べ物がなかったりという時は、背に腹は代えられないというやつで……（背と腹を履き違えているという説もあり）。

というわけでいつも、賞味期限切れの食品を前に悩める私ですが、しかしそんな私も、さすがに自分の料理で他人に腹痛を起こさせたことは（まだ）ありません。ですから我が家に遊びにいらっしゃる皆さんも、安心して下さっていいのですけどね。

移し替えますか？

とあるお店に、「鯖《さば》水煮缶の豪華皿移し替え」というメニューがあります。その名の通り、鯖缶をそのまま、豪華な皿に移しただけの料理、って言うか、料理と呼ぶほどのものでもない。

しかし、「これは単なる缶詰なのだ」と思っても、豪華なお皿の上に載っていると、何となくまともな料理っぽい雰囲気が漂う。で、ついつい四百円という価格にもかかわらず、頼んでしまう人もいる。

どんな器に盛るかというのは、食事をする上でとても大切なことです。買ってきたお惣菜でも、プラスティックのパックからそのまま食べるのと、陶器のお皿に移し替えて食べるのとでは、気分が違う。

一人暮らしの学生などは、料理を作っても、洗い物が面倒だからと、ついフライパンや鍋から直接食べがちなもの。しかしあれも、食事の後に虚しーい気持ちになるというものので。

一度、機内食を作る工場を見学したことがあります。そこで、機内食を普通のお皿に盛ったものを食べたのですが、いつもはまずく感じるエコノミークラスの食事でも、飛行機に乗った時に食べるよりも、ずいぶんおいしく、そして豪華に感じました。小さな四角い器に入れられて、ギチギチにお盆に並べられているというだけで、機内食のおいしさは半減しているらしいのです。

というわけで、たとえ一人でいる時でも、何でもちゃんとお皿に盛ってから食べよう、と心がけている私ではあるのですが。先日、必ずしも全ての食品に「移し替えの法則」が当てはまるわけではない、ということを発見しました。

それは友人の別荘に遊びに行った時のこと。深夜に到着し、小腹が空《す》いたので、ちょうどあったカップラーメンを食べることになったのです。

「やっぱ、器を替えますか」

と、おしゃれなカフェオレボウルのようなお碗に、お湯を注いで三分待ったラーメンを、移し替え。

深夜、フウフウとすすったラーメンは、確かにおいしかった。が、しかし。なーんとなく、気分が出ないのですね。

もう大人である私達がカップラーメンを食べるわけですから、「いつも食べているわけじゃなし。たまには、こんなゲスな食べ物を深夜に食べちゃってもいいよねッ、アタシタチ」というテレがある。しかしおしゃれなカフェオレボウル状の器は、そのテレを打ち消してくれてしまったのです。

カフェオレボウルに移し替えてみても、カップラーメンはあくまでカップラーメンであることは、意識から消えません。結果、「カップラーメンを食べる以上、変にテレたりせず、腹を据えてゲスなままに受け入れなくてはいけないのではないか」という罪悪感のようなものが、私の中には残った。

今、カップラーメン容器の安全性が問われているようです。が、たとえ何らかの物質がスープの中に溶けだしていようとも、それをも承知で、あのプラスティック容器に口をつけて勢いよくすすする。カップラーメンの醍醐味とは、その「毒を喰らわば皿まで」的部分にあるのかもしれません。

確かにたいていの食べ物は、器を替えることによっておいしく感じられます。しかし、たとえば駄菓子屋で売っているような人工着色料バリバリのお菓子を古伊万里に盛ってもあまり意味はないわけで。

やはり「ゲスさ」も味わいの一部になっているような食べ物の場合は、その「分」に合った容器のままで食べるのが、一番おいしいということなのでしょうね。

ミルク膜の情けなさ

冬は毎朝、ホットミルクを飲みます。凍えるような朝、パジャマにガウンをひっかけてホットミルクをすすりながら新聞を読みつつ、〝寒くて着替えるのが嫌だニャー〟なんて思うのもまた、楽し。

ホットミルクと電子レンジというのは、切っても切れない関係にあります。その昔は「牛乳わかし」などという名前のついたごく小さなお鍋で牛乳を温めていたらしいのですが、今や電子レンジにカップごと入れれば、すぐにホットミルクが。

電子レンジの進歩に伴い、牛乳を温める技術も日進月歩しています。私の実家にあった激古の電子レンジでは、牛乳の入ったカップを入れて「あたため」のボタンを押すと、上の方だけ妙に熱くて下の方はまだ冷たい、という代物ができあがってしまったものです。しかし実家から出て、生まれて初めて買った自分の電子レンジには、「牛乳あたため」という機能がついているではありませんか。私はこれにいたく感銘を受けました。「牛乳あたため」にダイヤルを合わせてボタンを押せば、カップの中の牛乳全体がまんべんなく、熱すぎることもぬるすぎることもなく、適温になる。

さらに感動したことに、この機能で牛乳を温めると、ホットミルクにはつきものの、例の白い膜ができにくいのですね。

ホットミルクの白い膜。マグカップにあの膜が浮いているのを見ると、

「ああ、もう冬なのだなぁ」

と思うものですが、私はあの膜、嫌いです。

「タンパク質が固まってできるものだ」

と教えられても、湯葉のように好きにはなれない。ついつい、カップの内側面に残してしまうのです。

思えば私は子供の頃から、あの膜が苦手でした。ホットミルクを一口すすった時、唇に当たるあの感触。膜が唇にひっついて、カップから口を離すと同時にビローンと垂れる情けなさ。何というか、カルピスを飲んだ後に口の中に残るニチャニチャしたものくらい、気になった。

喫茶店でホットミルクを飲む時も、膜が気になります。喫茶店においては膜は適宜、スプーンですくってカップの外に出すわけですが、この「スプーンにからまった膜」がまた、乾くにつれてこびりつき、汚らしいのです。

特に、ホットココアやロイヤルミルクティーといったものにできた膜（がスプーンやカ

ップにこびりついている状態）は、茶褐色であるがため、汚らしさもひとしおです。喫茶店で待ち合わせをし、相手がなかなか来ないためにすっかり乾ききってしまった膜など見ていると、非常にうら寂しい気分になるもの。

自宅でホットミルクを飲んだ後も、ちょっと放っておくとすぐにカップに残った膜が乾いてしまいます。それを適当に洗ってしまったがために、次に同じカップを使おうとした時に、ちょっとだけ膜がこびりついていた……なんてことが、あるものですが、それを発見した時の情けなーい感覚も、もしかしたら冬の風物詩、なのか。

電子レンジの技術発展はめざましいものがありますが、まだ膜を完全になくすところまではいっていない。「ホットミルクに膜を作らない電子レンジ」もしくは、「膜のできない、ホット用牛乳」なんていうものが発明されたら、世の中の「膜嫌い」たちに歓迎されるのでは、と思うのですが。

サンドイッチのジレンマ

日本人は、「主食と副食の味覚バランス」に非常に気を遣う国民です。ごはんとおかずがあった時、「このおかずでごはんをどれくらい食べたら、おいしいか。そしてどんな割合で食べたら、食事終了時にごはんもおかずも同時に無くなるのか」というペース配分を無意識のうちに考える習慣が、幼い頃からできている。

ペース配分が一番難しいのは、朝食でしょう。納豆に漬物に焼き魚に佃煮、といった「ごはんの友」になりそうなものが山と並んでいる時は、いくら納豆が好きだからといって、最初から納豆で飛ばす、といった行為は危険です。納豆だけで白米が終ってしまい、焼き魚をごはん無しで食べなくてはならなくなってしまうから。

やはり私達にとっては、「おかず無しでごはんを食べる」とか「ごはん無しでおかずだけ食べる」というのは、ものすごく寂しいこと。コンビニで売っているおにぎりでも、「端っこまで具が入っている」というのがウリになっているものがあって、実に日本人の気持ちをよくわかっている商品だなぁ、と思います。

が、しかし。そんな私達であるのに、自分達の主食・米以外の主食に関しては、意外と無頓着なのです。そう、私が言いたいのは「サンドイッチ」のこと。

サンドイッチは、言ってみればおにぎりと同じ構造をしています。主食であるパンに、おかずである具がはさまっている。しかし日本で売られているサンドイッチで、パンの隅々まで具が入っているものがいかに少ないことか！

サンドイッチの一口目は、たいていパンだけ。スカッとした食感が、二口くらい続く。パンの中央部になるとやっと具が現れるものの、反対側の端っこに近付くにつれ、また具はなくなってしまう。結局、パンと具をうまい具合に口の中で調合できたのはごくわずか。

私は、そんな情けない思いをするのが嫌なので、サンドイッチを食べる際は必ず、パンを開けて「端っこまで具がいきわたっているかどうか」を確認することにしています。不十分な場合は、中央に固まっている具をフォークで伸ばす。フォークが無い場合は、粘土細工の要領で、パンの上から手で押したりしている（ただし、ハムやチーズのような固形物の場合は押し伸ばせないんですが）。

しかし、そんなことをする度に私は、「日本の民度はまだ低い……」と思うのです。いくら不況とはいえ、今の日本の経済力を以《も》ってすれば、パンの端っこまでツナとかハムを伸ばすくらい、簡単にできることであろう。なのにそれをやらないのはいかにも貧乏くさいし、サンドイッチに対する愛がない。

サンドイッチだけではありません。ピザの、外縁部の具が載っていない部分の面積がやけに広かったり、あんまんのアンコがやけに少なかったり、という悲しい事態がいかに多いことか。こと米を食べる時、私達はあんなに「味無しで米を食べたくない！」と執着するのに、ことパンやらピザやら中華まんの時の態度の豹変《ひょうへん》ぶりは何なのだ！　差別じゃないのか！……と、わけのわからない怒りすら、湧いてこようというもの。

もちろん、「本当の通はつゆをつけずに蕎麦を喰う」とか、「ごはんはそれだけで食べるのが一番うまい」といった、面倒臭い意見もあるかと思います。しかし一般人である私達からしたら、やっぱり主食はおかずの「味」とともに食べたいわけで。サンドイッチ業者の猛省を促したいところです。

和食欲求

海外に行った時、和食を食べたがる人とそうでない人が、存在します。私の場合、アジア方面への旅の時は和食ナシでも平気なのですが、欧米方面への旅の場合、一回は食べたくなる、というタイプ。

先日、ニューヨークへ行った時も、三日目にこの「和食欲求」に襲われました。一日目、二日目はまだ「外国にやってきたのだ！」という興奮で、ハンバーガーだのイタリアンだの、バクバク食べることができた。

しかし三日目の朝、ふと気づくと、疲れているのです。外国人（っていうか、その場においては現地人）ばかりの中で張っていた気が、ふと弛《ゆる》む時期なのです。そこで脳裏に浮かぶのが、ごはんに味噌汁、漬物の味。

「今日の夜、そろそろ和食にしない？」

「そうだね……」

と、仲間の心は自然にまとまります。

私達がもっと若ければ、「わざわざ外国に行って和食を食べるなんて、馬鹿馬鹿しい！」

と、こんな提案はなされなかったと思います。たとえ「和食が食べたい」と思ったとしても、恥ずかしくて言い出せないムードも、漂っていたことでしょう。

しかし三十歳を過ぎると、その手の無理をすること自体、馬鹿馬鹿しく思えてくる。そして朝イチで、和食屋さんを予約。

「今夜は、和食だ！」と思うと、一日目、二日目と興奮のあまり飛ばして観光していたために蓄積していた肉体的な疲労も、軽減します。どんなに疲れても、夜は和食にありつけると思うと、安心していられるのです。

ニューヨークのような大都会では、和食と言っても、色々な店があります。日本より美味しいという評判の、寿司店。日本の有名蕎麦店の支店もあれば、ラーメンもある。

しかし旅の途中に私が行きたいのはその手の店ではありません。いかにも日本の会社の駐在員が、日本人同士でちょっと飲みに行くような、小綺麗な居酒屋、みたいな所に行きたいのです。

この手の店に一歩入ると、そこはまんま、日本です。妙な日本料理店へ行くと、従業員も料理を作る人も外国人だったりして「これは……ナニ？」というものが出てきたりしますが、「駐在員の行く店」はたいてい、日本人で揃えている。

旅行者は、その手の店に入った途端、安全地帯にいるような気持ちになります。それまで、タクシーに乗るにも料理を注文するにもいちいち「これでいいのか？」と緊張を強いられてきたけれど、日本料理店の中では、重いコートを脱ぐように、ホッとすることができる。

メニューも、たいていのものを揃えています。焼き鳥、お浸し、お刺身、もずく酢から最後はおむすびまで。嬉しくって、やたらと色々、頼んでしまう。

この時に私がいつも頼んでしまうものがあります。それは、揚げ出し豆腐。さっぱりした豆腐は懐かしの日本（と言っても離れて三日しかたっていないが）を思い出させ、豆腐を包む油で揚げた衣は、旅の疲れを癒してくれる。海外で揚げ出し豆腐を食べる度に私は、安堵と旅情を同時に味わうのです。

「やっぱ日本食だよね」

と、この手の場においてはお決まりのセリフを吐きつつ、ひたすら食べる日本食。客も全て日本人で、次第に「ここは渋谷なのでは？」という錯覚に陥る。

しかし会計を済ませて外に出れば、そこは正真正銘のマンハッタン。安全地帯で英気を養った私達は、元気にイエローキャブに手を挙げるのでした。

ヨーグルトの困惑

私はだいたい毎朝、ヨーグルトを食べます。季節の果物を切って、その上にプレーンヨーグルトをドサリと載っける。それを食べつつテレビを眺めつつ、完璧に目が醒《さ》めるのを待つ……ってな感じの、朝。

ヨーグルトは健康に良いそうで、大変結構なことです。しかしヨーグルトを常食していると一つ、困ることがあるのです。

それは、プレーンヨーグルトを買うと必ず付いてくる、小袋入りのフロストシュガーの、使い途《みち》。ヨーグルトに甘味を加えたい場合、私は蜂蜜《はちみつ》かジャムを使用します。するとあの小袋入りの砂糖が、どんどんたまってしまうのです。

煮物などの料理に使えば良い、とも言われます。しかし一人暮らしの我が身、そうそう大量に煮物は作らない。当然私はここ数年、一回も砂糖を購入したことはありません。

どんどん台所で増殖していく小袋入りの砂糖に困り、煮溶かしてシロップを作ってみたこともあります。しかし家でかき氷をするわけでもなし、そのシロップも使用しないまま、冷蔵庫に死蔵される結果に。かといって、捨てるわけにもいきません。

「戦争中は甘いものがなくって、親が隠しておいた白砂糖を舐めたのがバレた時は死ぬほど怒られたものだ……」

なんて話を年配の方から聞くと、「砂糖は大切にせにゃあ」と思うし。

とうとう、小袋入りの砂糖が紙袋いっぱいに貯まりました。なす術《すべ》もなく、私はその砂糖を、実家に持っていきました。

「ヨーグルトについている砂糖が貯まっちゃってさあ……。もらってくれない？」

と言う私に、

「アーラ、そんなの、煮物に使えば……」

などと調子良く言っていた母親も、あまりに大量の砂糖を私が持ってきたことに気付くと、

「よくもこれだけ貯めたわねぇ」

と、茫然としている。そう、実家でもヨーグルトは常食されており、どうやら他人の砂糖まで消費する余裕は無いらしいのです。

そもそもあの小袋入りの砂糖は、日本でプレーンヨーグルトを売り出した当初、「こんなものは酸っぱくて食べられない」という消費者の声に応えて、付けられたものなのだそうです。当時の日本にはまだ、ヨーグルトと言えば甘いもの、という意識があったらしい

ので。

しかし今、日本人もあの酸っぱさには慣れました。というより、ヨーグルトには酸っぱさを求めている。

今やもう、小袋砂糖の役割は終っているのではないか。

「いや、私はいつもプレーンヨーグルトにはあの砂糖をかけて食べている」

という方もいるかもしれませんが。しかしそうなるとコーンフレークには牛乳を付けて売らねばならず、鴨はネギを背負って歩かねばならなくなってくる。

酸っぱいのがイヤ、という人は、自分で砂糖を買うか、蜂蜜を買うかして振りかければよろしい。ヨーグルト側が甘味のことまで気を遣わなくてもいい時代に、もはやなっているのではないでしょうか。

でもなぁ。納豆にはカラシとタレが添付され、カップやきそばには青海苔が添付されている国のこと。あの砂糖も、今さら無くせないのかもしれません。

ではせめて、砂糖が添付されていないヨーグルトも売るとか。砂糖引き取りサービスを行なうとか、その辺のことも、考えていただけると嬉しいのですが。

海老だけでいい

「天婦羅の中で、一番好きなネタは何ですか？」……この問いに対する答えは、意外と難しいものです。

「おでんの中で、何が一番好きですか？」に対しては、「はんぺん」とか「つみれ」とか、躊躇なく答えることができるのです。おでんダネはどれもそう高いものではなく、駄菓子屋で何が一番好物か、という質問に答える時と同じぐらいの気軽さで、言いたいことを言うことができる。

しかし天婦羅は、高級な食材を使った高級な食べ物です。「スシ」「スキヤキ」とともに海外にもその名が轟く、有名な日本料理でもある。何を好きと言うかによって、味覚や教養が問われそうな気がしてしまって、ひるむのです。

天婦羅には「海老問題」というものも、常についてまわります。天婦羅と言えば海老であり、多くの日本人が天婦羅を食べる時は、海老を最も楽しみにしているのではないかと私は思う。ですが海老があまりにも人気者であるが故に、

「ええ、私は海老が一番好きです」

と言いづらい空気が、確実にあるのです。そんな当たり前の答えしか言えない人は、本当の美味というものを知らない人であり、人間的にも底が浅いのではないか……と、アイデンティティー崩壊の危機すら迎えかねない。

そこで人々は一考し、

「私は、空豆のかき揚げなんか、好きですね……」

などと、ひとひねりした回答をしてしまうのです。「最近読んで面白かった本は？」との問いに、「シドニィ・シェルダン」とは答えずに、小粋なフランス文学のタイトルを言ってしまうように。

天麩羅屋さんで天麩羅を食べると、海老は一番最初に出てきます。二尾くらい、というところか。好きなものを残しておくタイプの私としては、この「いきなりメイン」という組み立てに、心乱されます。その後に野菜が数種。そして魚類と続く。

私、思いきって告白しますけど、この「魚」って、ぜんぜんいらないと思うんですけど。別にまずいというわけではないのですが、海老に比べると、「魚の天麩羅って……そんなにウマいか？」といつも思う。

でも、

「やっぱアナゴはいいねぇ」

などとつぶやく食通風の人が近くにいたりすると、

「魚の天麩羅って、どこがおいしいんだかよくわからないっすよねぇ。魚はいらないから、その分海老を出してくれた方がずっと嬉しいなぁ」

とはとても言えないのです。

江戸っ子は、蕎麦をつゆにたくさんつけるのがダリいからと、ちょぴっとしかつけないのだそうで。で、死ぬ直前に「一度でいいからドップリとつゆにつけた蕎麦が食べたかった」と言うとか。

天麩羅に関しても、そんな意地があるように思います。天麩羅蕎麦でも天丼でも、天麩羅屋さんでも。「海老は一人二尾まで」という不文律があるかのような、この日本。「一度でいいから、天麩羅屋さんで『魚はいらないから海老だけ揚げて、海老だけ』って言って、飽きるまで海老の天麩羅を食べてみたかった」と死ぬ直前に思う人は、結構多いのではないかと思うのですが。

悲劇ののど飴

歯医者さんと、話していた時のこと。「冬になると、虫歯が増えるんだよねー。なぜだかわかる？」と、問われました。

正解は、冬になると風邪が流行って皆、のど飴をしゃぶるから、なのだそうです。

私はナルホド、と膝《ひざ》を打ちました。のど飴が原因の虫歯になったことはないものの、私の場合はかつて、のど飴のなめすぎで太ったことがあるから。

それは、数年前の冬のこと。のど風邪をひいて、ひどくガラガラになった私の声を電話で聞いた編集者が、各種のど飴を大量に送って下さったことがありました。私は「なんて優しい方なのだろう！」と、そのお心遣いにいたく感動しました。そして、いただいたのど飴をなめまくりながら、妙に力を入れて仕事に邁進《まいしん》したのです。

本当にのどが痛かったこともあって、私はとうとういただいた大量ののど飴をなめ切ってしまいました。そして風邪が治ってふと気づくと、おそらくのど飴の大量摂取のせいで、私はすっかり太っていたのです。

風邪をひく楽しみといえば食欲不振で痩せることくらいなのに、つらいわ太るわで、その時はさんざんだったのでした。

のど飴というのは、必要な時は必要なのだけれど、要らなくなってしまうとその存在がパッタリと忘れられてしまうものです。

外出先でのどに違和感を覚え、「ヤバイかも……」と思った時は、すぐさまコンビニとかキヨスクに飛び込んで、梅のど飴（梅が好きだから）などを、買って一粒か二粒なめ、バッグの中に飴をしまう。しかしのどの違和感が治まると、梅のど飴の存在はすっかり忘れてしまう。そんなことを、一冬の間に何回か、繰り返す。

……するとですね。風邪のシーズンが終った頃、ふと様々なバッグの底をさらってみると、街角で配っているポケットティッシュとともに、出てくるわ出てくるわ。なめ切っていないのど飴がザクザクと！

おそるおそるその中の一粒をとり出して包み紙を開いてみようとすると、もうベタベタになっていてどうしようもない。中には、ベタベタが流出してバッグの内側に張りついていたりもします。「これって、ひょっとして一昨年《おととし》くらいの飴なのでは……？」などと、思う。

長い映画やお芝居を見ている時、口寂しくなってバッグを探っていて、この手の「残留のど飴」を探り当てることがあります。多少ベタベタになっていても、自分がなめる分にはまだいいのです。が、一緒に映画を見ている人から、「あ、私にもアメちょうだい」などと言われると、とても困ってしまうのでした。

冬の終りに、日本全国の残留のど飴を集めたら、相当な量になるのではないかと思います。そんなもったいないのど飴を減らすためにも。そして溶けたのど飴でバッグを台無しにするという悲劇を防止するためにも。五粒くらいの「少量のど飴パッケージ」があったらいいのになぁ、と思うのですが。

空腹を呼ぶ鍋

「鍋って、イイよね」

これは冬の決まり文句です。この意見に異を唱えようものなら、日本人心を理解していない、気持ちの冷たい寂しい人、となってしまう。

私も、鍋料理は嫌いではありません。皆で集まる理由になるし、暖まるし、野菜はたくさん食べられるし。家で作る場合は準備も簡単で、それがまたいいところ。

しかし私、鍋に関して困ってしまうことが一つあります。それは、皆で鍋を食べた後には必ず、すぐにお腹が空いてしまう、ということ。

飽食の時代の、今。大勢で鍋を食べていると、誰もが「皆が均等に食べられるように」と、遠慮ってやつをします。すき焼きの場において、脇目もふらず必死で肉ばかり食べる人、という存在はもはや過去のもの。

子供とか食べ盛りの青年ならともかく、その鍋におけるメイン——たとえばふぐ鍋だったらふぐを、あんこう鍋だったらあんこう、すき焼きだったら肉——を一人でガバガバ食べる、という大人はあまりいないのです。

　さらに鍋をする時というのは、常に皆の視線が一つの鍋に集中しています。観察しているわけではないのだけれど、誰が何を取ったか、が自然にわかってしまうもの。

　だから、本当は白子が好きで、二個目の白子に手を伸ばしたいと思っていても、「誰かに見られているんじゃないか」と思うと、つい遠慮してしまうのです。結局、「どんなにたくさん食べようと申し開きができる無難なもの」、つまり白菜とか春菊とか白滝といったものをチョコチョコ食べる、ということに終始する私、なわけですが（でも、煮えすぎた豆腐には決して手を出さない）。

　鍋が終ると、雑炊ということになります。鍋と雑炊は切っても切れない関係で、これまた「鍋の後に、ダシのきいた雑炊を食べられることに無上の喜びを感じている」ということを少しオーバーなくらいに表現しないと、日本人失格ということになります。

　私も雑炊は好きなので喜びを表現するにやぶさかでないのですが、この雑炊の配分というのもまた、難しいのです。

　鍋が終った時点で、

「あーもうお腹いっぱい！」

「食べすぎた！」

　的なことを言うのも鍋を食べる上での礼儀ですので、丼一杯食べるわけにはいかない。

お茶わんに軽く一杯か二杯、というところか。

鍋の後の雑炊を食べると、確かに満腹になるのです。皆としゃべりながら食べると、気持ちが満ち足りることによってお腹も満ち足りたような気がするのかもしれないし、皆があまりに、

「お腹いっぱい！」

と言うので、自分もお腹いっぱいのような気がするのかもしれない。

が、しかし。家に着く頃、私の胃は既に空腹を訴え始めています。考えてみれば、メイン、つまりはふぐとかあんこうとか肉とかは五切れくらい、下手したら三切れほどしか食べていない。あとは野菜とダシ汁、最後におじやが軽く一杯ということは、ごはんと言ったらピンポン玉一個分くらいか。いずれも消化の良いものばかりで、腹持ちが良くないのです。

結局、床に就く頃にはお腹が「グウ」と鳴っている。「あーっ、ラーメンとか食べたいなーっ」という煩悩を抱えつつ眠りにつくという行為は、私にとって冬の鍋の夜の定番となっているのでした。

満腹編

駅弁と人生

駅弁を買うということは、結婚相手を選ぶのと似ている。

……と私、先日大阪に行った折りに思ったのですけれど。その日、私は夕方六時の新幹線で、新大阪から東京へ戻ろうとしていました。その時間帯ですから当然、「車内で駅弁」という心積もりです。と言うより、駅弁が食べたいが故にその時間の新幹線に乗った、と言う方が正しいかもしれません。

五時半には新大阪の駅に着き、余裕をもって駅弁選びを始めた私。「柿の葉寿司にするかな」と思った瞬間にふと、疑問が湧いたのです。

私は新幹線の改札口の外で駅弁を探していましたが、「もしかしたら、改札口の中に入ったら、もっとおいしそうな駅弁があるかもしれない……」と思ったのですね。

この「改札の中に入ったら、もっとおいしそうなお弁当があるかもしれない。柿の葉寿司を買うべきか否か？」という疑念は、未婚女性が男性と付き合っている時、

「この先、もっといい男が現れるかもしれない。この男と結婚すべきか否か？」

と悩むのと、似ています。

人はつい、不確定な未来に希望を抱いてしまうもの。柿の葉寿司も悪くはない。しかしこの先には、もっと良い何かがあるような気がする……と。

悩みながらも私は、決意しました。「いくら悩んだって同じ！　私は柿の葉寿司を買う！」と。で、柿の葉寿司とお茶を購入して改札の中に入ったのです。

ここで私は、「やってはいけないこと」をしてしまいました。「この男と結婚する」と決意したならば、残りの人生では他の男を見ないようにして生活しなければ幸福にはなれません。同じように、柿の葉寿司を買ったならば、もう他のお弁当を見なくてもいいのです。

ああ、それなのに。私は、改札の中で、お弁当屋さんを見て回ってしまったのです。すると私の好物「味噌カツ弁当」が売られているではありませんか！

名古屋名物の味噌カツを、なにも新大阪で買わなくてもいいではないか、とも思います。しかしここしばらく名古屋に行く機会がなく、味噌カツを食べていない。すごーく、食べたい。しかし手元には既に買ってしまった柿の葉寿司がある……。

私は「まぁこの男でいいかと結婚した直後に理想の男に出会った若妻」的な立場に立たされました。さぁ、どうするのだ？

煩悶《はんもん》の末、私はいけないとは知りつつもどうしてもその魅力に抗いきれず、味噌カツ弁当を買ってしまったのです。そして新幹線の中では、幸せな気分で味噌カツを食べた……。

「新婚早々、出会ってしまった理想の男の許《もと》へ走った若妻」であれば、これは大事件となります。しかし幸いなことに、私が手玉にとったのは単なる駅弁。

柿の葉寿司に申し訳ない、と思いつつも新幹線の中では味噌カツと熱いひとときを過ごしたのですが、翌日のお昼に、柿の葉寿司もちゃんと食べました。冬でしたので、悪くなる心配も無さそうだったし。ああ、これが結婚相手選びでなくて本当に良かった。

しかしあそこで柿の葉寿司を買わずにいるのも、実は勇気が要ることなのです。「この男を逃してしまったら、もう一生、私に合う男は出てこないのではないか」と思うように。でもまぁ、お弁当はホームの上でも、新幹線の中でも売っています。「何でもいい」という気にさえなれば、いつでも食べられる。……マ、「何でもいい」という気になかなかならないのが、弁当選びも結婚相手選びも、難しいところなんですが。

うどん中毒

東日本はソバ文化圏、西日本はウドン文化圏、とよく申します。私は生まれも育ちも東日本なのですが、子供の頃はうどんが好きでした。そもそも蕎麦というのは、のどごしや香りを楽しむ食べ物であって、その手のものを重視しない子供にとっては、特に魅力的な食べ物というわけではなかったのです。

とは言っても、東日本のうどんは、西日本のそれとは違って醬油色をしたつゆの中に、うどんが入っている。だから、西日本の人が初めて東のうどんに遭遇すると、とてもビックリするのだそうです。

同じことが、「東日本の人が西日本のうどんに遭遇した時」にも言うことができましょう。つまりあの、黄金色で透明なだしの中にうどんが入っているのは東の人間にとっては新鮮で、それなりにビックリする。

私が初めて関西風のうどんを食べたのは、今から八年前のことでした。最寄り駅の駅ビルに、うどんの専門店ができたのです。東京には、蕎麦屋はたくさんあって、うどんもそこで食べることができますが、うどん専門店というのは、珍しかった。そこできつねうどんを食べてみると……、これがウマイ。

　東京できつねうどんを食べると、うどんの汁も醬油色ならば、きつねも醬油色に煮しめてあります。しかし関西風は、だしもきつねも、薄い色。「味が薄くて物足りないのでは……?」と疑いつつ食べてみると、カツオだしがよくきいていて、決して薄いわけではない。

　その瞬間、私のうどんに対する「どうってことない食べ物」というそれまでの認識が、覆《くつがえ》されたのです。

　私は、そのうどん屋さんにしょっちゅう行くようになりました。さらには「ぜひ本場のうどんが食べてみたい!」と、四国は高松にも行き、うどんをすすりまくってきた。訪讃(讃岐《さぬき》を訪ねるの意)後は、ますますうどんへの熱情が高まりました。様々な冷凍うどんを比べて最も好みに合うものを発見し、自宅でも頻繁《ひんぱん》に食べるようになってきたのです。

　ふと周囲を見回してみると、西日本風のうどんの虜《とりこ》になってしまっている人は、私だけではありませんでした。ある主婦は、

「冷凍讃岐うどんを三日に一回は食べないと満足できない」

　と言い、またある会社員は、

「三か月毎に、讃岐へ行ってうどん巡礼の旅をしている」

と言っていました。皆、東京出身で、人生の途中から西日本風のうどんに目覚めた人達です。

彼等及び自分自身の姿を見ていて、私は気づきました。そう、西日本風のうどんには、習慣性と言うか、中毒性があるということを。一度口にしてしまうと、「また食べたい」「もう一回食べたい」という風になってしまう。

もちろんそれはおいしいから、なのです。しかしもう一つ、「だしのきいた食べ物」というのは、強い習慣性を持っているのではないか、という気もするのです。だし自体は、甘くも辛くもありません。しかしそのうまみ成分が、人の味覚の奥深いところに記憶として取りついて、人を「また食べたーい」という気分にさせるのではないか。

西日本風うどんを初めて食べてから、八年。その八年間、私の中でずっと「うどんブーム」は続いています。フリーザーの中から冷凍讃岐うどんの姿が消えたことはなく、だからといって飽きることもない。

「ああ、中毒になるって、こういうことなのかなぁ……」と思いつつ、その快楽に身を任せ続ける私なのでした。

トンカツ屋の男女

古来より、

「焼肉を二人で食べている男女はデキている」

という説がありましたけど。私は最近その説の信憑性《しんぴょうせい》を、ちょっと疑っています。

それは確か、焼肉を食べて息が臭くなっても平気でいられる間柄↓デキているに違いない、という論理だったと思います。が、デキていない男性とでも、一緒に焼肉を食べれば同じ息になるわけで、別に気にしなくてもいいような気がする。

さらに「焼肉男女デキてる説」が生まれた時代は、今より焼肉がポピュラーではなかったように思うのです。少なくとも今のように、安くて明るいムードのお店はあまりなかったはず。だから余計、焼肉屋さんに二人でいる男女は、意味あり気に見えたのではないか。さらに当時の女性は今の女性よりも奥床しく、デキてもいない男性に「肉を喰らう」ところなど、見せられなかったのかもしれません。

しかし今の女性達は、もっとカジュアルに焼肉を食べる。家族とでも、女同士でも、そしてデキていない男性とでも、

「焼肉行こうよー」

ということになるのです。

では、焼肉屋さんに代わってデキてるか否かの判定ができるような店がないものか。

……と考えた結果、私は、

「夜のトンカツ屋さんに二人で来ている男女は、デキている」

という新説を打ち上げることにいたしました。

デキていない男女が、昼食を食べにトンカツ屋さんに行くことは、珍しくありません。しかし夜のトンカツ屋さんとなると、話は別。

夜に食事をする「デキていない男女」とは、仕事上の関係か、まだ肉体関係に至っていないが微妙な関係、ということになります。

で、「仕事絡みでどうしても二人で食事をしなくてはならない」というシチュエーションは、たいてい深夜なのです。そして深夜にやっているトンカツ屋さんはあまり存在しない、という理由が一つ。

接待の食事という時も、トンカツ屋さんは利用されにくい場所です。接待の場合は、もう少し高い料理屋さんに連れていくことが多く、またトンカツではすぐに食べ終ってしまって接待にならない。

では「まだ肉体関係に至っていないが微妙な関係の男女」の方は、どうでしょう。この場合、男女は双方共に、相手に対して自分の良いところを見せようと必死です。デートスポットも、ムード重視のはず。

となるとやはり、トンカツ屋さんは選ばれにくい。トンカツ屋さんは口説くにはあまり向いていないのです。

つまり、トンカツ屋さんにいる男女というのは、

「トンカツ食べたーい」

と気軽に口に出せるような、安定した関係にある。そして夕食が三十分で終っても、その後どちらかの家、もしくは二人の家でゲームをするとか、まったりするとか、お金のからない時間の過ごし方が用意されているカップル。すなわちデキている男女、なのです！

しかし、例外もあります。男性に食事に誘われ、女性の方に全く「ソノ気」がない時。

「何食べたい？」

と問われて、

「トンカツ」

と答えるのは、「ソノ気」がないことを伝える良い手段となると思う。ということでこ

のトンカツ尺度も、絶対ではないんですけど。今度トンカツ屋さんにいる男女の顔つきを見回して、信憑性を確かめてみて下さい。

嗜好品の楽しみ方

私は、お酒は飲めませんが甘いものは大好きです。先日、仕事の打ち合わせ場所として、とある甘味店を指定しました。

私は大喜びであんみつを頼んだわけですが、次の瞬間、「シマッタ……」と思いました。そう、相手の女性は、「アタシ、糖分はお酒から摂《と》ってるんで甘いものって滅多に食べない」と豪語する酒好きの人。

「いやー、こんな場所に来るのは高校生以来のことです……」

と、ちょっと困ったような顔をしているけれどさすがに大人、

「たまにはこういうところもいいもんですね」

と言って下さる。

さらに悪いことに、その老舗《しにせ》の甘味店には、コーヒーだの紅茶だのといった邪道な品がありません。ひたすら甘味メニューに徹しているのです。しょうがなく彼女は、「ゆであずき」というものを頼みました。

して、出てきた「ゆであずき」は、ご飯茶わんのようなものにテンコ盛り。甘味好きで

あれば快哉《かいさい》を叫ぶところですが、彼女は、

「こっ、これは……」

と眉《まゆ》をしかめました。そして結局彼女は、ゆであずきを全て食べ切ることができなかったのでした。

店を出てから私は、深ーく反省しました。ああ、申し訳ないことをしちゃったなぁ。相手が女だからと、甘味店を指定してしまったが、女だから甘味好きとは限らないのであった。アタシってジェンダーに捉われている人間なのね……、と。

思えば、酒好きの彼女を甘味店に連れていくのは、甘味好きの私を飲み屋に連れていくようなものでした。そういえば私も、飲み屋に行く時は、

「いや私、こういう所も嫌いじゃないっスから」

などと言いながらも、やはり何となく居心地悪いもの。

飲み屋における酒飲みは、

「ちょっとくらいなら飲めるんでしょ？」

と、こちらにお酒をすすめて下さいます。しかしこちらとしては、ちょっとも飲みたくない。さらに時間がたつと、「飲める人」の精神は、酔って違う次元にワープしてしまいます。シラフのこちらは、とり残されたような気分……。

同じような疎外感をおそらく私は、甘味店において酒好きの人に味わわせてしまったに違いありません。私は、自分が好きだからと、

「ちょっとくらいなら食べるんでしょ？」

と酒飲みにゆであずきをすすめた。さらに、周囲にいる客は女ばかりで、彼女達は昼間っから、「甘味にありついた甘味好き」独特のハイテンション。酒好きとしては、さぞやとり残されたような気持ちになったに違いない。

飲み屋において、私はいつも、

「あーあ、飲める人は楽しいかもしれないが私は……」

と、被害者意識を味わっていました。そんな私は、自分が加害者になる可能性など、これっぽっちもないと信じていた。

しかし、加害者になるのがこんなに簡単なことだったとは！　私にとっては座り心地の良い甘味店の椅子は、酒好きにとっては拷問椅子。私にとっては夢の世界への案内状である甘味店のメニューは、酒好きにとってはただの紙。

私は初めて、甘味がお酒と同様、嗜好品であることを理解しました。そして嗜好品を摂取する時は、必ず同好の士と一緒に、もしくは一人で、行なわなければならないことも。

いやホント、「他人の立場に立つ」っていうのは、難しいものですねぇ。

乾杯の作法

乾杯という動作は非常にポピュラーなものです。が、私は乾杯をする度に、「乾杯って難しいなぁ……」とつくづく思うのです。

他人と食事を共にする時、特に夕食時でお酒がある時に、必ずと言っていいほど乾杯は行なわれます。会社の同僚と飲みに行く、といったごく日常的な飲酒行動の時も、

「じゃっ」

「お疲れっす」

などと、軽く杯を掲げるのはマナーのようなもの。

軽く杯を掲げるくらいの、「いただきます」と言う代わりの乾杯動作は、比較的容易だと思うのです。しかし、五人以上が集まった席で、勢いよく、

「カンパーイ!」

なんて叫ぶ乾杯。あれは、難しい。

私はお酒が飲めないのですが、乾杯の時は、

「じゃあ最初だけ……」

とかつぶやいて、ビールをコップに少し、入れてもらう。で、

「カンパーイ！」

と、グラスを中央に集めて、カチンとぶつける。

難しいのはそれからです。

「全員でグラスを中央に集めた時点で乾杯終了とするのか、それとも参加者全てと一人一人、グラスを合わせなければ正しい乾杯とは言えないのか」という迷いが、皆の脳裏に一瞬、去来するのです。

「まいっか」とグラスを引っ込めようとした瞬間に、誰かが「個人個人とのグラス接触」を求めてグラスを持つ手を伸ばしてきたので、あわてて手を戻したり。逆に、「あの人とはまだグラスを合わせていない」と思って手を伸ばすと、その人はさっさと飲んでいて、伸ばした手が宙に浮いたり。

五人のうち四人とはグラスを合わせたのだけれど最後の一人は遠くに座っていたので、気づかないフリしてグラスを合わせなかったけれどきっと相手も気がついているに違いない、と乾杯を終えてから気にしてみたり。

「それほど親しくない相手とサシで食事をする」という時の乾杯の作法も、難しいものです。グラスに飲み物を注ぎ終り、両者がグラスを手に持つ。そしてグラスを宙に浮かせ、

相手と目を合わせた瞬間に、「グラスを合わせるか否か」の意思疎通をしなくてはならない。

いきなり勢いよく相手のグラスに自分のグラスをぶつけると、馴々しい感じがするのではないか。でも、グラス接触をさせずに杯を掲げるだけでは、他人行儀な人だと思われるかも……？

そこには様々な思惑が交錯します。その思いを、グラスを持って相手と視線を絡ませた刹那《せつな》、整理しなくてはならない。それはまさに相撲の立ち合いの瞬間のようで。

立ち合いが成功すれば、次の瞬間、二人は自然にグラスを合わせたり、もしくは自然にグラスを合わせなかったりするものです。しかし失敗すると、片方がグラスを差し出しているのに片方は掲げるだけ。で、相手がグラスを差し出していることに気づいて急いで合わせて、そのことがお互いにわかってしまったことによるちょっとした気まずいムードを誤魔化すために、グラスを置いてから妙に大きな声で話しだしたりして、食事のしょっぱなからリズムが狂う。

ああ、やはり日本人にとって「あ・うん」の呼吸の会得は大切なこと。心安らかに乾杯ができるのは、いつの日になるやら。

ヤマモモの愉悦

私、「ヤマモモ」がだーい好きなのです。あの、懐石料理の付け合わせみたいな感じで一個だけついていたりする、梅干しくらいの大きさの赤い実が。

私にとってヤマモモは、幻の果実です。好きだからといって、果物屋さんでも八百屋さんでも、高級スーパーでも売っていない。料理屋さんでも、気まぐれで料理の脇についているものだから、注文して食べることができない。

そんなある日のこと。とある中華料理店において。一通り料理を食べ終り、

「デザートは何があるんですか？」

と問うと、

「今日はヤマモモがありますよ」

との答えが。

「えっ……、ヤマモモってあのヤマモモ？　私、ヤマモモってだーい好きなんですよ！」

と思わず注文すると、

「あら、じゃあ大盛りにしてあげるわね」

とのこと。

そして、しばらくして出てきたヤマモモを見て、私は嬉しさのあまり、血管がブチ切れそうになりました。せいぜいヤマモモが五個くらいちんまりとお皿に盛られているものを私は想像していたのに、なんと出てきたのは、小ぶりの丼に山盛りの、二十個くらいのヤマモモ。

一年にせいぜい二回くらい、それも一回に一個しかヤマモモを食べられず、その度に「ああっ、もっと食べたい！」と願って生きてきた私は、目の前のヤマモモの山が奇跡に見えました。嬉しさのあまり、

「あっ……あたし、一度でいいからヤマモモを飽きるまで食べてみたかったんです！」

と叫びます。そんな私を微笑まし気に見守る、お店の方。

ものすごく贅沢な気持ちで、私はシロップで煮てあるヤマモモを一個、口に入れました。

私が好きなのは、ヤマモモを舌に載せた時の感触です。ヤマモモの表面というのは、人間の舌と非常によく似ており、それが柔らかく煮てあるわけですから、ものすごく官能的な舌触り。

舌の上でヤマモモを転がすと、甘いシロップも滲《にじ》み出し、愉悦の極致に。目はトロンとし、ヨダレがたれそうになってきます。この愉悦を二十回も連続して味わうことができる

なんてもう気が狂っちゃいそう！　と、一個目を食べ終ってからもニヤニヤ笑いが止まりません。

そんな私を見て、同席している人々は、

「酒井さん、なんかイッちゃってる感じ……」

と、怪訝《けげん》な顔をしています。

「あっ、たくさんあるから皆さんもお一ついかがですか？」

と私は勧めたのですが、

「いや、それほどまでにヤマモモが嬉しいなら、酒井さん一人で楽しんだ方が……」

と、みんな尻込《しりご》みをする。

一個一個のヤマモモを、舌で転がし、丁寧に歯を突き立て、蜜を吸い、最後にはメチャクチャに咀嚼《そしゃく》して、タネを吐き出す……。この行程を結局私は、二十回、繰り返しました。その間、もう気持ち良くてとろけそう。

しかしどんなに楽しい時にも、終りはやってきます。いよいよ、最後の一個。最後まで残しておいた最も姿の美しいヤマモモを、私は丁寧に時間をかけてしゃぶり、噛み、嚥下《えんか》した。

食べ終って、二十個の種と共に残ったのは、「もう二度と、これだけ大量のヤマモモを食べることはないだろう」という寂しさ、そして舌にしみついた、快楽の残滓《ざんし》。店から出た私は、まるで美女二十人斬りを達成したかのように、ドップリと疲れて家路についたのでした。

フライドポテトに最適の温度

一人で昼食をとらなければならなかったある時のこと。私はムラムラと、モスバーガーの、テリヤキチキンバーガーが食べたくなりました。

テリヤキチキンバーガーを食べたい時というのは、マヨネーズ味が食べたい時でもあります。大人になると、子供の時のように思いっ切りマヨネーズ味を堪能する、という機会になかなか恵まれません。マヨネーズは安易で幼稚な調味料というイメージがあるので、大人は手をだしづらいのです。

というわけで、私はたまにモスバーガーに一人で行って、マヨネーズたっぷりのテリヤキチキンバーガーを食べることがある。

その時は、フライドポテトも一緒に頼みました。するとフライドポテトだけが、おそらく揚げるのに時間がかかったのでしょう、少し遅れて到着します。ポテトを一口食べてみると、中はホクホクと熱く、なるほどそれは揚げたてでした。しかし私はその時ふと、思ってしまったのです。

「これは、私が求めている味なのだろうか？」

と。

熱いものは熱いうちに、冷たいものは冷たいうちに……というのが、おいしく食事をする時の鉄則です。ということは、たとえファストフードにおいてであっても、熱いものは熱いうちに食べた方がおいしいはず。

しかし熱々のフライドポテトを口に入れた時、私は一瞬、違和感を覚えました。

「こんな熱くなくてもいいのに……」と。

子供の頃からマクドナルドなどを食べ慣れている私達にはおそらく、「ファストフードは、ちょっとヌルいのが一番おいしい」と思う習性がついているのだと思います。フライドポテトにしても、揚げてから五分くらいたって、ちょっと油がまわってしなっとする直前、みたいなものに「オイシイ」と感じるようになっている。

熱々のポテトも、悪くはないのです。しかしそれは、家庭の食卓や、ちゃんとしたレストランのお皿に盛られているべきもの。ファストフードの、プラスティックのトレイの上にのっているポテトが揚げたてだと、その熱々さと、プラスティックの安っぽい質感が、どうもマッチしないのです。

私達は、「安心して自堕落になることができる場所」を求めて、ファストフード店へ行きます。雑誌を読みながら、肘をついてハンバーガーを食べても、誰からも白い目で見られないのが嬉しいのであって、決して「身体に良い食事」とか「すばらしくおいしい食事」を求めているわけでは、ない。

私は、この「熱々のフライドポテト」を口に入れた瞬間、そんな自分の自堕落さを、咎《とが》められているような気にもなりました。これが、ちょっとヌル目のポテトであれば、安心して自堕落な食事を続けたであろうに、熱々であったせいで、いつもより背筋を伸ばし気味に、ポテトを食べることとなった。

ヌルいポテトを求める気持ちは、マヨネーズを求める気持ちと、合致しています。大人にとってのマヨネーズは、ヌルいポテト的おいしさを持った調味料。熱々のポテトを食べた時の気分というのは、マヨネーズを求めていたのに、上等のグレービーソースを供されたような気分、なわけです。

ポテトを頼んだ時、

「少々お時間いただきますけどよろしいですか？」

と聞かれる度に、

「ヌルいのでいいんですけど……」

と言いたい、私なのでした。

ダブル澱粉質

ある友人が、

「二種類の穀物を同時に食べるのは、日本人だけだ。それは、身体に良くないことなのだ」

と言っていました。

そう言われてみれば、確かに私達は、ラーメンライスであるとか、ヤキソバパンであるといったメニューにおいて、異種穀物を同時に食べることがあります。では、この手の組み合わせが中華料理にあるか？　イタリア料理にあるか？……と考えてみると、思い当たらないのです。

「異種穀物を同時に食べるのは身体に悪い」という説が、真実かどうかはわかりません。しかしもしそれが真実だとしたら、私達がラーメンライスやヤキソバパンを食べる時に生じるそこはかとない罪悪感、あれはもしかしたらその説が因《もと》になっているのではないか。

身体に悪いかどうかは別にして、ラーメンライスにしてもヤキソバパンにしても、澱粉《でんぷん》質・オン・澱粉質という組み合わせは、決して栄養的にバランスが取れているとは言えません。

そのせいもあってか、澱粉質・オン・澱粉質のメニューというのは、あまり上品なイメージでもない。私も、初めての相手とのデートにおいて、ラーメンライスやヤキソバパンといったダブル澱粉質メニューを頼もうとは思いません。

だからこそダブル澱粉質メニューはおいしい、と言うこともできるでしょう。栄養バランスが良くないばかりか、身体に悪影響を与えるかもしれないうえに下品な食べ物をコソコソと食べるその禁断の喜び……。それは、駄菓子の魅力とも通じます。

私の場合、ポテトサラダがはさまっているサンドイッチを食べる時も、ツナサンドや野菜サンドを食べる時には全く無い良心の呵責《かしやく》が心の中に生まれるのです。あれもおそらく、ポテトサラダサンドイッチがダブル澱粉質の食べ物だから、なのでしょう。

そういえば知り合いには、

「ソースやきそばをおかずに、冷やご飯を食べるのが好きだ」

という人もいました。関西の人は、タコ焼きをおかずに白いご飯を食べるという噂も、聞く。

そしてそういったダブル澱粉質な食べ物は全て、ちょっと日陰の存在。たとえ栄養の知識が無い人でも、澱粉質をおかずに澱粉質を食べる時は、「今日はすっごくお腹が空いているし……」と、自分で自分に言い訳をしているのではないか。

もしかしたらそんな「恥ずかしい習慣」は、日本人だけのものではないかもしれません。イギリス通の友人によれば、イギリスでは「チップスサンドイッチ」というものが存在するのだそうです。

「チップス」は、「フィッシュ&チップス」のチップス、つまりフライドポテト。それをパンにはさみ、ビネガーで食べるらしい。聞くだに、身体に良くなさそうです。

しかし私は、イギリスに行っても、そんな物を食べている人を、見たことがありません。イギリス通の友人も、チップスサンドの存在は聞いたことがあっても、実際に食べている人は見たことがないらしい。

となるとイギリス人もやはり、ダブル澱粉質な食べ物を食べる時は、ちょっとした罪悪感を抱いているのではないか。だからこそ、あまり他人には見られないように、コソコソと食べているのではないか。

紳士の国の人をして、コソコソと食べたくなるダブル澱粉質な食べ物。そう思えば、コロッケパンを食べる時の背徳的な喜びにも、ちょっとハクがつこうというもので……。

「ケーキ食べたい」

誰かと二人で喫茶店に入った時。ガラスケースの中に、おいしそうなケーキを発見したとします。その時、ケーキに対してどのような反応をとるかは、なかなか難しい問題だなァと、私は常々思っているわけですが。

メニューが渡され、まずは飲み物を考えます。すぐに、

「ご注文は？」

と来てしまうと、

「じゃあ、ブレンドを」

「私はカフェオレ」

で、注文が終ってしまう。

しかし注文を取りにくるまで少し間があると、どちらかが、

「あっ、ケーキもあるのね」

なんて、言い出すことがある。

この時。お互いが心の中に「ケーキ、食べたい！」という気持ちを持っていると、話は

とてもスムーズに進みます。

「本当だ。私、食べようかな」

「私も！」

と、お互いがホッとしたような表情になるのです。

この時の空気は、相撲の立ち合いにおいて、両者の呼吸がピッタリ合った時のよう。

「あっ、ケーキもあるのね」

と言った方が、土俵に先に片手をトン、とつく役。それを合図にして、両者が「実はケーキが食べたかった」という心情を吐露し、ガップリ四つに組む。

この、「ケーキ食べたい」というお互いの気持ちが合致した瞬間というのは、何かとてもさわやかなのです。まだそれほど親しい間柄ではなかった人とでも、「ケーキ食べたい」が一致すると、一段階深い仲になることができたような気がする。

呼吸が合わないことも、多々あります。たとえば仕事の打ち合わせで喫茶店に入り、実は二人とも心の中では「ケーキが食べたいなぁ」と思っているのに、「でも打ち合わせだしなぁ」と、どちらからも言い出せない。相撲で言えば、いつまでも睨《にら》み合ったままなかなか立ち上がれないようなものでしょうか。そんな時は結局、「ケーキ食べたい」という気持ちを内に抱えて悶々《もんもん》としながらコーヒーだけで過ごすのですが、支払いの時にレジで、

「ケーキ、おいしそうでしたね……」

とどちらからともなく言い出し、「食べればよかった」という後悔を残す。

勇み足というケースも、あります。きっと相手も同意してくれるだろうと思って、

「あっ、ケーキがある。ケーキ食べようよ」

などと言ってみたら、

「えっ、私はイイ」

などとあっさり否定される。

「あっ、そう……」

と自分だけ注文して、独り相撲する寂しさよ。

そう、ケーキを食べようとする時、私達の胸の中には、「アタシったらまたこんなの食べちゃって」という、一抹《いちまつ》の罪悪感があるのです。だからこそ、

「食べちゃおっか」

と、相手と気が合った時の共犯感が、嬉しい。「どこまでも一緒に堕ちていきましょうね」という気分にひたることができるのです。

このようにケーキの頼み方というのは難しいものなわけですが、だからといって、

「ケーキ、いかがですか？　どんどん食べて下さいっ」

などと言われてしまうのも、また興醒《ざ》め。それは、

「よーい、スタート！」

という声で相撲を始めるようなもので……。

日本人の「あ・うん」って、まったく複雑なものなのです。

麺を茹でると……

「私って、運が悪い人間だなぁ」

と思ってしまう瞬間が、誰しもあると思います。渡ろうと思うと、いつも踏切が閉まってしまう、とか。目指すお店に行くと定休日であったり、とか。

私の場合、「麺類を茹でた時」に、いつもそのことを感じるのです。それというのも、麺類を茹でて、いざ「食べよう！」という瞬間、ほぼ確実に、電話がかかってくるから。

おいしそうに出来上がった札幌土産の西山ラーメンを目の前にして、私は電話に出ます。これが気のおけない友人からであれば、

「ごめん、今ラーメンができたばっかりだから、食べ終ったらかけなおすね」

と言うこともできますが、その手の時に限って、目上の方からだったりする。で、麺がどんどんのびていくのを目のあたりにしながら、

「はい、そうですよねぇ、はぁ」

などと話し続けなければならない。

別に、正直に「ラーメン食べなくちゃならないので」と言わずとも、後からかけなおす

言い訳はいくらでもあるとは思うのです。しかし私は、どうしてもそれができない。相手の方も、

「今、話して大丈夫?」

と聞いて下さるのに、そこでもつい、

「あっ、ぜーんぜん大丈夫です」

などと言ってしまう。そして麺はどんどんのびていく、と。

そんな私の行為は、おそらく「茹でたての麺類」に対する私の過度な思い入れの裏返し、なのだと思います。「麺は茹でたらすぐに食べなくては!」という強迫観念があまりにも強いため、一本の電話で少しでも食べるタイミングがずれると、ほとんどヤケクソ気味に、自虐的になっていく。

単に気が弱い、と言うこともできます。麺がそんなに大切であれば、「麺をすっている時は、電話には一切出ない」くらいの強い意志があっていいハズなのに、私にはそこまでの確固たる意志もない。電話が鳴れば、つい出てしまうのです。

「今さら言えない」という心理もあります。普通に電話に出たというのに、

「そうそう、そう言えばね……」

と相手が言いだしたからといって、突如として、

「すいません、実は今、ラーメン茹でたてでして……」

と言いだすのも、こっ恥《ぱ》ずかしいもの。

ああ、ラーメンを目の前に置き、電話で話さなければならないこのつらさよ。ラーメンのことを考えると気もそぞろなのだけれど、一方では「茹でたてのラーメンを目の前にして気もそぞろ、なんてことを悟られてはならじ」という保身の精神もあり、「ぜんぜん余裕」みたいな声を出してしまう。

コードレス電話が主流の今、皿洗いだろうと入浴だろうと、電話をしながら色々なことをこなすことができます。が、電話をしながら麺類をすることは、さすがに憚られる。

ならば、家で麺類を食べる時は留守電にしておけばいいではないか、と思われることでしょう。なるほど、ごもっともな意見です。しかしいつも私は、「麺を茹で上げると電話が鳴る」という法則を、麺を茹でる前は忘れてしまうのですね。そして出来上がって盛り付けたその刹那、

「リーン」

というベルが……。

ああ、茹でたてシコシコ麺を食べることができる日は、来るのでしょうか。「幸運の麺神」の登場を切に待つ、私です。

海老の配分問題

たとえば中華料理屋さんで、皆で食事をしている時。大皿に盛られた海老料理が運ばれてきたとしましょう。その料理がテーブルに置かれた瞬間、「一人あたり海老は何尾ずつか」という割り当て問題を瞬時にして考える人と、全く考えずに食べ始める人とが、世の中には存在するものです。

私はどちらのタイプかと言えば、もちろん前者、つまりは「一人あたりの個数」を考えずにはいられないタイプです。この「とりあえず自分に許された『陣地』は確保しておいて、その範疇《はんちゅう》の中で安心して食べる」という意識は、おそらく農耕民族的なものなのではないかと思っています。つまり自分の土地を耕し、その中だけで生活することに安心を求めるような。

そんな私が、〝海老は三尾は食べられるのだな〟などとセコく考えている横で、小皿に四尾も五尾も、海老を盛っている人がいます。そう、彼等の意識は狩猟民族的。「おいしそう！」となったら、獲物を追いかけるように、ガンガン攻める。

彼等の中には、「強い者が勝つ」という論理がある。平等に分配する、などという思考回路は、存在しません。

　自分の隣に、この手の狩猟民族系の人が座ると、農耕民族系の私は、非常にあせります。〝あっ、アタシの分が食べられてしまう……！〟と。おとなしい農耕民族は、いったん狩猟民族が攻撃してきたら、対抗する術を知らないのです。

　そこで私は、自衛策を考えました。料理がテーブルに運ばれてきて、〝一人三尾だな〟ということがわかったら、狩猟民族系の人が手をつける前に、

「一人三尾って感じですねッ」

　と、思い切って言うのです。

　平等分配を勧める発言をするのは、ちょっと恥ずかしいものです。〝この人、喰い意地が張ってる〟とか〝セコい〟とか思われそうだし。

　しかし、背に腹は代えられません。本来であれば三尾食べられるはずの海老を、なぜ二尾で我慢せにゃあならんのだ！　……と思うと、だんだん勇気がわいてきます。

　おそらく、狩猟民族系の人の侵略を快く思っていない農耕民族系は、私だけではないことでしょう。しかし農耕民族系の人々は皆温和な性格なので、言い出すことができない。ここは農耕民族全体の権益を守るためにも、私が言わねばなるまい、泣き寝入りはすまい。

……ということで、

「海老は一人三尾って感じですかねぇ。なーんて、しっかり計算したりして、へへ」と、及び腰になりつつ言ってみる。

すると、「あ、おいしそう。たくさん取っちゃえ」という顔をしていた狩猟民族系の皆さんも、ハタと気づくようです。結果、海老は無事に一人三尾ずつの配分となるのでした、めでたしめでたし……、と。

しかし最近、元気が良い狩猟民族系の人が、どうも減っているように思えるのです。食べ物が有り余っている今、「他人の分まで食べてやる」という野性味あふれる食欲を持っている人は少ない。むしろ健康のためにおいしいものは控えめにしたりする人ばかり。中華料理の丸テーブルの上で、おいしそうな海老が数尾余っていたりもするのです。

豊かな時代に健康に気を遣うのも結構なことではあるのです。が、大皿の上に残る海老数尾を見ると、この国の将来は大丈夫なのか……という、うっすらとした不安に包まれるのです。

かき氷と恋愛

かき氷の季節。氷の器をサクサクとスプーンでつつきながら、「なんでこんなものがおいしいんだろうなー。氷って元は水なわけだし、原価はめちゃくちゃ安いんだし」と、毎年のように思う、夏。

かき氷の醍醐味。それは、「変化」というものでありましょう。温かいものや冷たいものは、時間が経《た》つと味が変化しやすいのが常です。究極の冷たいものであるかき氷は、なかでも短時間のうちに、急激な変化を見せる。

かき氷というのは、変化を楽しむための食べ物と言ってもいいでしょう。もしかき氷が、食べ始めから食べ終りまで、ずーっとけずりたて状態だったら、すぐに飽きてしまうと思う。

この楽しみは、恋愛の楽しみと似ています。最初のうちは、ふわふわの白い氷。とにかく新鮮で、見るだけで幸せ、味などなくとも、その氷を口に入れるだけで嬉しい、という状態で、それは恋愛初期の精神状態のようなもの。相手の存在自体が新鮮で、顔を見ているだけで幸せ、特別なイベントなどなくとも会っているだけで幸せ、という感じ。

しかし次にやってくるのは、試練です。初期から中期に移る瞬間が、かき氷も恋愛も最も難しい。かき氷においては、氷の部分とタレ（シロップとか、あずきとか）の部分を混ぜ合わせる瞬間に、氷がボロボロとこぼれてしまったり、味の配分を間違えて、早い時期にあずきをいっぱい食べてしまったりするもの。

恋愛においてもこの時期は、ヤマ場です。最初の「何を見てもいとおしい・何をやっても幸せ」という状態から醒め、少し冷静になってくる。初めて、「この人と私は本当に合うのだろうか？」なんてことを、冷静に考えてみたりして。

その時期を乗り越えれば、かき氷も恋愛も、うまくいくのです。かき氷の氷部分がだんだんと溶けてきて、あずきと混じり、ミゾレ状のものとなる。この「熟《な》れた」状態が、実はかき氷の最もおいしい時なのかも、しれません。

恋愛にしても、然《しか》り。困難も修羅場も乗り越え、お互いが相手のことを知り尽くした熟れた状態になると、余計なことを考えずにすみ、非常に快適なのです。

かき氷にしても恋愛にしても、最初からその熟れた状態を手に入れることは、できません。もしも甘味店で、半分溶けたような氷あずきが出てきても、「気持ちワリー」と、食べる気にはならないでしょう。自分で氷の山を慎重に崩し、味の配分を考えて氷とあずきを丁寧に混ぜ……という手順を経てきたからこそ、溶けかかった氷あずきはおいしいのです。

恋愛にしても、最初から落ち着いた関係をつくることなど、絶対に不可能です。喧嘩をしたり、「やっぱ別の人の方がいいかなー」なんて思いつつも一緒にいると、やがて安寧な日々がやってくる。

かき氷の最後。それはほとんど「あずき味の氷」のようなものです。しかし最初から食べていた者にとっては、それすらもまた、おいしい。

とことんこなれた老夫婦を見ると、私はこの「あずき味の氷」を、思い出すのです。長年連れ添ったからこそお互いをおいしいと思える、二人。ああ、私は人生の最後に、こんな関係を築くことができているのだろうか。

……と、今年も行きつけの甘味店で「氷いちごミルク金時」（私の好物！）をつつきながら、思うのでした。

添え物の立場

料理屋さんで出てくる食べ物には、見場を良くするために、色々な添え物がしてあるものです。たとえば、一品料理の横のパセリとか、チョコレートパフェの上のサクランボとか。

あの添え物、確かに主役を引き立たせる役には立っています。しかし添え物自体の食材としての立場を考えると、「どうしたものか」という気持ちになるもの。

パセリにしても、サクランボにしても、自立した立派な食品なのです。しかしそこには、「この手のものは残す」という不文律がある、ような気がする。

もちろん子供の頃は、チョコレートパフェの上にのっているサクランボも、レモンスカッシュの中に入っているサクランボも、食べていました。最後まで残しておいたサクランボを食べるのが、楽しみでもあった。

しかし大人になるにつれ、周囲の大人達がサクランボを残しているのを見たり、仲間うちでちょっと大人っぽい子から、

「アタシ、缶詰のサクランボって水っぽくてきらーい」

などと言うセリフを聞いたりするようになる。と、「添え物としてのサクランボって、大人は残すべきものなのか？」という疑念が湧いてくるのです。

もちろん、男の子の前で「ちょっと無邪気なアタシ」を演出したいような時は、サクランボを口に放り込みました。が、「もうアタシ、大人よ」という演出をしたい時は、サクランボをあえて残した。

同じような理由から、「ホールケーキの上にのっているチョコレートでできた人形」を、大人は食べたそうな顔をしてはいけないんじゃないかとか。洒落たフレンチレストランでコーヒーと一緒に出てきたプティフールを三個も取ってはいけないんじゃないかとか。大人であるが故に遠慮した方がいいらしい添え物、というのは色々とあるのです。

パセリに対する対応も、難しいものです。パセリはとても栄養のある食べ物ですから、食べた方が良いのはわかっている。

しかしメインの料理をすっかり食べて、皿の上に累々と残っているパセリを、「もったいないし」と一人が食べ始めるのは、危険な行為です。なぜならその場に存在していた「パセリは、食べないもの」という認識の下に成り立つ「和」を、乱すことになりかねないから。

「もったいない」と言われると、たとえ他の人は「別にパセリなんて食べたくない」と思

っていたとしても、食べなくてはいけないような気になってしまう。その人は親から、

「パセリはね、使い回しをしているから食べちゃ駄目よ！」

と言われて育ったので、なるべくなら箸をつけたくなかったにもかかわらず……。

皿にパセリだけ残っている時は、誰もが少しそのパセリのことを気にしているのです。「残すのは悪い」という罪悪感を抱えているのに、パセリなど存在しないかのように、ふるまう。

そんな時にお店の人が来て、

「お皿、お下げしてよろしいですか？」

と声をかけてくださると、とっても嬉しいもの。

「どうぞどうぞー」

と早く下げてもらい、目の前にパセリが無くなったことにホッと胸を撫で下ろすのでした。

他にも、刺身のツマ問題とか、中華料理に添えてある薄切りオレンジの飾り問題とか。料理をきれいにするために使われる食材は、常に私達を悩ませる。マ、それが、多くの場合、食べられずに捨てられてしまうそれらの食材の、私達に対する復讐なのかもしれませんが……。

袋菓子の陶酔

先日、友人の子供と一緒に「カルビーかっぱえびせん」を食べていて、ふと思ったことがあります。それは、

「カルビーかっぱえびせんは、おいしいから『やめられない、とまらない』のか、それとも『やめられない、とまらない』からおいしいのか」

ということ。

今でも使用されているかどうかは知りませんが、「やめられない、とまらない」というコピーは、カルビーかっぱえびせんとは切っても切れない関係です。そして私は、ものすごく久しぶりにかっぱえびせんを食べて、つい「かっぱえびせんのおいしさの本質」を考えてしまったのです。

コピー本来の意図としては、「やめられない、とまらない」ほどおいしいカルビーかっぱえびせん、ということを表現したかったのでしょう。しかし大人になってかっぱえびせんを食べてみると、「ひたすら食べ続ける」という食べ方自体に、おいしさの秘訣があるような気がするのです。

これはカルビーかっぱえびせんに限ったことではなく、ポテトチップでも柿ピーでも揚げせんでも、袋菓子全般について言えることでしょう。

それら袋に入った「小粒モノ」のお菓子を、一個だけ食べても、それほどの感動は無いのです。しかし、二個目、三個目……と連続して口に入れていくうちに、どんどん「おいしい」という思いは強まっていく。

それは、肉体的な快感をも伴います。袋に手を入れ、菓子の一片をつまみ、口腔《こうこう》にポイッと投入し、歯でガリッガリッと咀嚼。またポイッと投入し、ガリッと咀嚼。ポイッ、ガリッ、ポイッ、ガリッ……という単調なリズムに次第に身体が乗るにつれ、意識は「無」に近付いていきます。単純行動の繰り返しによって、日常の雑事が次第に脳裏から追放されていくのです。

背徳的行為であるが故の興奮、というものもそこにはありましょう。袋菓子というのは、決して上品な食べ物ではありません。カロリーも高く、健康のために大変よろしい、とされている物でもない。ということは誰であれ、袋菓子を食べる時は一抹の罪悪感を抱えているわけです。

袋を「バリッ」と開ける時の気分は、複雑です。「これを開けてしまったら最後、取り返しのつかないことになるに違いない」という覚悟、「でも少しだけ食べてやめればいいんだし」という油断、そして「でもアタシはきっと途中でやめることなどできないに違いない」という諦念……。

一口、また一口と、袋菓子を食べ進みます。五口目くらいまでは、「まだまだ、引き返せる」と思っている。しかしそこから、加速度がつくのです。「ポイッ、ガリッ」のリズムが、どんどん速くなってくる。気持ちでは、「ヤバい、とめなくては！」とわかっているのですが、坂道を転がり落ちる時のように、身体がもうとまらない。

そうなると、単調なリズムの心地よさと、「こんなに食べてしまって……」という後ろめたさがあるからこその快感で、もう決して後戻りはできなくなります。道ならぬ恋に落ち、罪と知りつつ逃避行を続ける男女のように、堕ちるところまで堕ちるしか、ないのですね。

ということで、「やめられない、とまらない」。子供の頃はただ単純に聞き流していた言葉ですが、案外大人達は、それぞれの深ーい思いを抱きつつ、かっぱえびせんを眺めていたのかもしれません。

習慣性のおいしさ

世の中、おいしい食べ物というのはたくさんあります。が、その「おいしさ」には二種類あるのではないかと、私は思っております。

すなわち、ある食べ物を初めて食べた時にすぐにその場で「おいしい！」と思うおいしさ。そして、初めて食べた時はピンとこなくても、二度目に食べた時に突然、「おいしい！」と思うおいしさ。私は前者を「一過性のおいしさ」と言い、後者を「習慣性のおいしさ」と呼んでおります。

「一過性のおいしさ」というのは、ごく普通のおいしさ、と言うことができます。素材そのものが良質、とか。火の通し方や塩加減が絶妙、とか。

しかしこのおいしさは、一度限りのもの。最初に感じた「おいしい！」という感動があまりに強いため、二度目に食べた時、つい「あれっ、もっとおいしかったんじゃなかったっけ……」と物足りない気分になる。

「習慣性のおいしさ」は、どうでしょう。それは、クセのある食べ物や、香辛料や調味料が複雑に調合された食べ物に感じるおいしさです。その手のものはたいてい、最初に食べた時に、多少とっつきにくさを感じるのです。まずくはないけど、何だか親しみの無い味だなぁ……、と。

たとえば、ラーメンのスープ。あるお店で初めてラーメンを食べたときは、スープに妙なクセがあり、「ハテ?」と思うような味だった。もう一度食べたい、とは全く思わなかったのだけれど、何かの弾みで同じ店にもう一度行って同じラーメンを食べたら、なぜかとってもおいしく感じられ、それからはそのラーメン無しでは生きられない身体になってしまった……。などということがよくあるもの。

それは、麻薬のようなものなのだと思います。麻薬も、一回吸ったり打ったりしただけでは、どうということはない。しかし追体験をしてしまったら最後、その魔力の虜《とりこ》となり、ズルズルと地獄へ……、となりがち。

一過性のおいしさと、習慣性のおいしさ。これは異性に置き換えることもできます。

パッと見て「格好いい!」と思う異性というのは、えてして一過性のおいしさのようなものだったりしがち。二度目、三度目と会って話してみても、初めて見た瞬間の「格好いい彼」を超えることはない。

対して、第一印象がイマイチでも、二度目に会うと「あらっ、この人にはこんなに良いところが……」と思う異性がいるもの。で、いつの間にかハマってしまう。

習慣性のおいしさというのは、必ずしも万人に理解されるものではありません。ごく一部の人にしか理解されない習慣性のおいしさ、というものもある。「マズイ」と評判の店になぜか通いつめている数少ない常連客というのは、その「常人にはわかりにくい習慣性おいしさ」にハマっているのだと思う。

異性関係でも、同じですね。周囲の人達からは、「なぜあんな男と?」と言われるようなアル中暴力男と、いつまでも別れない女性がいるもの。というのもきっと、「私だけにはわかる彼のこの魅力」というのを、女性が知ってしまったからではないかと、思うのです。

「習慣性のおいしさ」を知り、そのスパイラルの中に身を投じるのは、快感でもありますが、危険性を孕《はら》んだ行為でもある。一過性のおいしさを好むか、習慣性のおいしさを好むか。この差は、人生航路をも左右する差なのではないかと、思っております。

「見物」と「飲食」

先日、生まれて初めてお相撲を升席にて観戦しました。

「升席は狭いよォー」

と皆から言われたので、体育座りをしてもパンツが見えないような衣服を着用し、張り切って両国の国技館へと向かった私。

もちろん、力士や取り組みをナマで見ることは、楽しみでした。が、実は私が最も楽しみにしていたのは、お茶屋さんから配られる、色々な食べ物やお土産だったのです。

子供の頃、父親がお相撲見物に行った日は、ヤキトリだのあんみつだの、大量のお土産を持ってかえってきた記憶があります。あの盛り沢山の食べ物が自分の目の前に広がるかと思うと、とてもワクワクしてきます。

国技館へ着き、お茶屋さんの案内で升席へ行くと、そこは本当に狭かった。四人がけではありますが、大量の食べ物を置いたら三人でやっと、という感じなのです。

しかしあの狭さが、私達日本人にとっては、「物見遊山気分」を盛り上げる重要な要素となっているのではないかと私は思います。

狭い席に体育座り。まだ暗くなっていないうちから、ビール。これでもかというくらいにたくさん配られる、食べ物。決して快適ではない非日常的な空間における飲食というのは、運動会のお昼のご飯のように、イベント気分をいやがうえにも盛り上げるものです。

欧米では、おしゃれしてミュージカルだのオペラだのを見にいった後、きちんとしたレストランへ行ってゆっくり食事を楽しむのだそうで。確かにその手法でいけば、「見物」も「食事」も両方、集中して楽しむことができましょう。

対して私達の国においては、「見物」という行為をしながら同時に「飲食」をする、ということが好まれているように思います。相撲の他にも、お弁当を食べながら観劇、とか、花見しながら飲み会、とか。

時に、飲食に夢中になるあまり、本来の目的である見物がおろそかになることすら、あります。が、おそらく私達の祖先にとって飲食と見物を同時に楽しむなどという行為は、もうこの上なく贅沢な、「盆と正月が一緒に」的なことであったに違いない。

お相撲では、ヤキトリやあんみつの他にも、幕の内弁当、枝豆、甘栗《あまぐり》、煎餅《せんべい》、クッキー等々、いただきました。さらにはお土産として、陶器のお茶碗セットみたいなものも。

こういったラインナップに対して、

「たいしておいしくないものをいっぱいもらっても、重いだけで困るんだよねー」

と言う人もいます。しかし私は、何だかこれらの食品群を見ていると、とても嬉しく、やがてせつなくなってくるのです。

娯楽が少なかった昔の人にとっては、幕の内弁当に甘栗なんていうものを食べながら相撲見物、というのはおそらく、生涯においてそう何度もない、夢のように楽しい行為だったのだと思います。

イタリアンだのチャイニーズだの、様々なおいしいものを外で食べつけている私達には想像もつかないほど、幕の内弁当以下の食品は、客にウキウキ感を与えたに違いないのです。それを思うと、贅沢に慣れてしまった身としては、何だか胸がキュンとしてくる。

お相撲の升席は確かに狭かったけれど、私はヤキトリをガシガシ食べ、

「武双山ーッ！」

などと叫び、おおいに楽しみました。ちょっと、「日本人でよかった」と思う、夜でした。

ザクロ・セラピー

最近、ザクロに凝っています。と言っても、食べることにではなく、「剝く」ことに。ザクロの場合、「剝く」という言葉が正確かどうかはわかりません。が、つまりはザクロのあの赤い実を、一粒一粒ほぐすことに、ハマッているのです。

ザクロというのは、ポピュラーな果物ではありません。家にザクロの木でもない限り、おやつにザクロが出てくるなどということはないでしょう。

しかし気をつけて見ていると、季節になれば果物屋さんの端っこの方で、ザクロは地味に売られているのです。それも、「カリフォルニア産」などと書いてある、嬰児の頭大のものが。

私がザクロにはまったきっかけは、ある料理雑誌で「ザクロジュースの作り方」を見てからです。ザクロをほぐし、つぶし、しぼるという作業を、ミキサーを使わずに手で行なう、というところが魅力的に思えました。さらには、出来上がったザクロジュースが、血のように真っ赤で美しかった。

早速私は、果物屋さんでザクロを二個買いました。そして、誰からも電話がかかってこないようなヒマな夜、「火曜サスペンス」を見ながらジュース作りにとりかかったのです。

ザクロを剝くという作業は、思った以上に魅力的でした。一粒が子供の歯くらいの大きさの深紅の果実が、どんな規則性を持っているのかわかりませんが、ザクロ内部のそここに几帳面に並んでいる。それを探し、潰さないようにていねいに外す。ああ、気持ちい……。

それはちょうど、魚のアラ煮を食べている時のような感覚でした。つまり、「ここにゴッソリと身がある」と思ったら「あっ、こちらにも」……という感じで、まるで宝探しをしているようなのです。実際、ザクロの実はまるでルビーのようで、財宝ザックザク感覚。

二個のザクロを剝くのに、三十分以上はかかりました。ガラスのボウルに半分ほど実がたまり、それだけでも美しい。

次は、スリコギで潰します。せっかく丁寧に剝いた実を潰すのはしのびないのですが、それは同時に快感でもある。スリコギで可憐《かれん》な実を押すと、プッ、というごく小さな音とともに表皮が破れ、赤い液体がしみ出していく……。それは、ちょっとサドっ気がうずく瞬間。

潰しているうちに、果汁はあちこちにはねてしまいます。テーブルに。新聞紙に。そして私がかけているメガネのレンズに。……赤い果汁が容赦なく飛び散り、だんだんスプラッター映画の様を呈してくる。

しかし私は、気になりません。それほど「ザクロ潰し」は夢中になることができる作業なのです。そして潰し終り、しぼり、漉《こ》し……としているうちに、ふと気がつくと、二時間近く。「火曜サスペンス」では犯人がもう捕まっている。そしてやっと、ジュースは完成したのです。

完成したジュースは、コップ二杯あるかないかという量なのですが、完成した時の私の気持ちは、妙に晴れ晴れとしていました。「精神的湯上がり感覚」という感じなのです。その裏にあるものは、「ザクロジュース完成！」という達成感だけではないような気がする。

ザクロを剥き、潰すという作業の間中、私は一心不乱になり、他のことを考えていませんでした。二時間完全に心をからっぽにすることができ、それが爽快感をもたらしたのだと思う。

というわけで「ザクロ・セラピー」。精神の安定がもたらされるとともに、おいしいジュースもできて一石二鳥。ぜひ、お試し下さい。

食事の位置関係

食事を快適にするための必須条件は色々とありますが、私にとってかなり大きな問題なのが「位置関係」です。

誰かと食事をともにする時の位置関係というのは、大きく分けて「対面方式」と「横ならび方式」の二種。「背中合わせ」とか「上下」で食事するというのは、なかなか考えづらいものですし。そしてこの二種のうち、どちらを好むかによって、その人の食べ物に対する姿勢が、見てとれるのではないかと私は思います。

ちなみに私は、「対面方式」を好む者です。横ならびで食事をしていると、話をする時は横を向かなくてはならないし、食べる時は前を向かなくてはならないしで、どちらにも集中できないのが、嫌なのです。

特に三人で横ならび、というのはつらいもの。真ん中に座ってしまった人は、左右及び正面と、三方向をキョロキョロしなければならず、ちっとも落ち着きません。

対面方式であれば、食事相手と食べ物は同じ方向にあるので、一方向だけ向いていればいい。両方に集中することができるのです。

もちろん世の中には、横ならびを好む人もいるのです。テーブル席が空いているのに、

「あっ、カウンターでいいや」

なんて言ったりする人。

彼等は、なぜ横ならびを好むのか。と考えてみるとおそらく、「目の前の『食べ物』よりも、隣に座っている『人』の方に興味がある人」だからなのではないか。

横ならびを好む人というのは往々にしてお酒を好みます。と言うより、横ならび系の店というのは、お酒が売り物だったりもする。彼らにとって「食べ物」は、酒のサカナでしかなく、しばしばあまり箸がつけられずに放っておかれたりもするもの。

私はそれに、イライラしてしまうのです。食べ物が目の前に運ばれてきているのに、横を向いて話ばかりしている人を見ると、「ああ、冷めてしまう」とか「乾いてしまう」とか、気が気ではない。

そう考えると私のような「対面方式」を好む人間というのはおそらく、「前に座っている『人』よりも、前にならんでいる『食べ物』の方に興味がある」のです。食べ物とは、ガップリ四つに組み合いたい。脇目をふりたくないのです。

優先順位をつければ、食べ物が一番で、一緒にいる人は二番。「人」は言ってみれば、「食べ物」をおいしく食べるためのサカナのようなもの。

私のような人間が横ならび方式で食事をすると、「『人』にはさほど興味はない」という性質が、往々にしてバレてしまうのです。食べ物が目の前にある限り、そちらにばかり注意が向いてしまうので、気を緩めると相手の話に耳を傾けなかったりする。

これが対面方式であれば、「食べ物にしか興味はない」ということは、バレずにすみます。「食べ物」と「人」は同一方向上にあるので、たとえ食べ物しか見ていなくとも、誤魔化すことができるのです。

最近、あまり好きではない人と横ならびで食事をすると、好きではない人が座っている側の肩が妙にこる、ということに気づきました。普段は滅多に肩などこらない私が、です。

おそらく「食べ物に集中できない」ストレスと、「あまり好きではない人と食事をしなければならない」ストレスとがもたらしているのであろう、その肩こり。私と横ならびで食事をした時、私が肩など揉《も》んでいたら……、要注意です。

作業を伴う食事

母親の誕生日に、両親と中華料理店に上海蟹《シャンハイがに》を食べにいきました。上海蟹は非常においしく、大変に満足のいく誕生日の夕となったわけですが。

その時私は、上海蟹に限らず、蟹という食べ物は、親と食事に行くときのメニューとして大変に適しているということが、わかったのです。

私達親子は、そう冗舌な方ではありません。話題が豊富というわけでもない。遠く離れて住んでいれば、会わずにいた間の色々な出来事を話すこともできましょうが、私達はお互い東京に住んでいて頻繁《ひんぱん》に顔を合わせるため、新鮮な近況もない。なおかつ孫もいないので、孫の話題も出てこない。

つまり私達親子の間には、話すべき「ネタ」がないのです。そしてそんな無口な親子にとって、蟹は偉大な救世主となってくれました。

上海蟹は、そう大きな蟹ではありません。ですから、食べる時は少なからず精神の集中をすることが必要です。脚の関節部分を鋏《はさみ》で切り、別の細い脚を使って肉を押し出すとか、ツメの部分を慎重にほじくるとか。

で、蟹と相対している間だけは、「話のネタ探し」から解放されることができるのです。

「あっ、見て。こんなにきれいに脚の肉がとれた」

とか、

「これは、手先が不器用な人は食べられないねぇ」

とか、蟹のことだけを断片的につぶやいていればいい。話がとぎれたとしても、「今は蟹を食べているのだし」ということで、それは合法的な沈黙となる。

前菜の時などは、必死に「親が名前を知っている友達の最近の動向」などを思い浮かべてネタ提供しなければならなかったので、私は蟹が出てきて本当にホッとした。そして私はなるべくゆっくりと、ツメの先まで丁寧にほじくって、蟹を食べ尽くしたのでした。

これが、あまりお互いのことをよく知らないカップルのデートであれば、上海蟹は不向きでしょう。お互いのことをもっと知りたくてたまらないのに、そこに蟹が出てきてしまっては会話にならない。

とはいえ「話したい……」と思いつつも、やっぱり蟹はおいしくて、ついつい下を向いて作業に没頭してしまう、悲しい人間の性《さが》。やはりデートの時は、なるべく手の動きが少なくて済む料理を選択すべきなのでしょう。

話すネタの無い親子であれば、もっと短時間で済む食事をすればいいではないか、という意見もあろうかと思います。が、短時間で済む食事というのはえてして、「お誕生日祝い」には向いていないのです。ラーメンとか。牛丼とか。立ち食いソバとか……。やはり三十を過ぎた子供が親にご馳走するからには、ある程度ゆっくりとした食事を、というのが社会通念というものではあるまいか。

人生において、話のネタが有り余るような人とだけごはんを食べていればいい時期は、案外と短いのです。仕事絡みとか、配偶者の実家関係といった「会話の無い食卓」をもうまくやり過ごすことができるのが大人なのであり、そんな時に「作業を伴う食事」は、無言の食卓を和ませるいい手となるのです。蟹ばかりでなく、焼肉やお好み焼き、バーベキューといった鉄板系も、無言の食卓の大きな味方となることでしょう。

てなわけで来年の母親の誕生日も、また上海蟹にしようかな……っと早くも目論む、親孝行なんだか親不孝なんだかよくわからない、私なのでした。

解説

野地秩嘉

酒井順子さんの本は海外へ向かう飛行機のなかで読む。

私の場合、海外へ出かけるのはほぼ仕事だ。外国での仕事に備え、飛行機に乗った瞬間から身体も心も緊張状態にある。そういった状態をほぐすには、ゆったりとしたリズムで書かれた酒井さんの本がいい。それで機上では酒井さんの本を広げる。また、彼女の書いた本の効用は緊張をほぐすだけではない。彼女が書く内容は時にものすごくアナーキーだから、痛快なのだ。私としては力をもらったような気になってしまう。彼女は権威をバカにしたり、組織のつまらなさをせせら笑う。そんなアナーキーな気分を自分のなかに注入しておくと、外国人相手の交渉の時に腰がひけることがない。とてもありがたい。

さらに言えば、私は酒井さんの本を読むとげらげら笑う箇所がある。そこにはあまりにもバカバカしいことが書かれているから。そういった笑いの箇所につき当たると、私は「世の中には、ここまでくだらないことを考えている人間がいるのか」と驚く。いったい、どういった成長の仕方をしたら、こんなバカげた妄想にひたることができるのか、それが不思議だ。しかし、そのバカげた笑いのセンスがまた役に立つのである。

海外の仕事現場では外国人と食事をするケースがある。そんな時、私は酒井本から流用した冗談を言う。すると、頭のいい外国人はちゃんと笑ってくれる。言葉が違う国の人を笑わせるには、だじゃれや楽屋落ちのようなユーモアは通用しない。酒井さんが書いているような、まったくバカげた冗談だけが通じるのだ。そんなこんなで私は飛行機に乗る前には必ず空港の本屋で酒井さんの本を買う。

そんな彼女の文章のセンスはいったいどこから来たものなのだろうか。他の本の解説を読むと、「東京生まれのセンスのよさ」と軽くくくられていることが多い。しかし、私は酒井さんの文章の大本は観察力にあると思っている。その観察力とは私たち一般人のそれとは別種のものだ。私は彼女が観察力を使っている現場を見たことがあるから、「彼女の力は普通ではない」と断言できる。

東麻布に「カメレオン」というオープンキッチンスタイルのイタリア料理店がある。私はそこで酒井さんと食事をしたのだが、オーナーシェフの萩原雅彦さんが、こんなことを教えてくれた。

「野地さん、酒井さんって面白い人ですねえ。僕が調理してると、じっと様子を見ているんです。いいえ、つねに見張られているわけじゃありません。新しい調理器具や珍しい食材を出したとたんに、僕の方をじっと観察するんですよ」

酒井さんの視線を感じた萩原シェフは、さらに彼女の反応をうかがうために、大型の中華包丁を持ち出したり、電磁調理器を使ってみたそうだ。すると、萩原シェフの動きが変化したとたん、酒井さんの目はレーダーのように動きを捕捉したという。

つまり、酒井さんの観察とはこんな風であり、彼女は人間の変化に反応する。人がいつもとは違う行動をとったところを見ているのだ。だから、彼女の場合、食べ物をテーマにしたエッセイを書いても、見ているのは人間である。人間が変化する瞬間をとらえている。

本書『ごはんの法則』のなかにも、普通の人間がいつもとは違う動きをするシーンが出てくる。

それは、ゴルフ場でパック入りのスポーツドリンクをチューチュー飲む実年紳士の姿であり、明らかに日本人の顔をしているウェイターが勢いよく「ボナセーラ」と発声する店の様子である。また、鉄板焼の店で愛人調の夫婦が店の従業員にやたらと話しかける風情を見て、酒井さんは、そのカップルはいつもと違う行動をとっているなと感じている……。酒井さんは他人だけでなく、彼女自身も含めて、人間がいつもとは違う行動をとってしまう瞬間に反応してしまうのだ。

まあ、ここまで大げさに書くことはないけれど、私は酒井さんの文章を読むと、人間の動きに反応してしまう彼女の姿を思い浮かべる。

世の中には酒井さんに似た感じのエッセイを書く人は多い。だが、観察するポイントがぜんぜん違っている。彼女のようになるには、まずは観察眼を鍛えなくてはならない。観察眼を欠いた人のエッセイは何冊も読む気にはなれない。

最後に、彼女の本を買うたびに、私が心底からうらやましいと思っていることがある。それは佐藤可士和氏の絵と装丁デザインだ。佐藤氏のデザインにも彼女の文章と同じようなアナーキーさとバカげた感じがある。文章と装丁が調和しているのだ。内容と形がこれほど一致しているコンビは珍しいのではないか。まったくうらやましい。

ちなみに酒井、佐藤コンビの本を本棚に並べてみると、その一角に不安なエネルギーがうず巻いているのがわかる。ふたりのアナーキーなエネルギーは作品に乗り移り、本棚を占領してしまうほどのものなのだ。ゆえに、ふたりの相性は実に恐ろしいものだと思う。

私が次に望むとすれば小説だ。読者としては途方もなくバカげて、しかもアナーキーな小説が読みたい。途方もなくバカげて、しかも、アナーキーで、読むと不安になる小説を待ってます。

——ノンフィクション作家

編集部注：佐藤可士和氏の装丁は単行本時のもので、文庫化にあたり変更されています。

この作品は二〇〇〇年二月実業之日本社より刊行されたものです。

ごはんの法則《ほうそく》

酒井《さかい》順子《じゅんこ》

平成15年8月5日　初版発行
平成17年5月31日　5版発行

発行者――見城徹
発行所――株式会社幻冬舎
〒151-0051東京都渋谷区千駄ヶ谷4-9-7
電話　03(5411)6222(営業)
　　　03(5411)6211(編集)
振替00120-8-767643

印刷・製本―株式会社 光邦
装丁者――高橋雅之

万一、落丁乱丁のある場合は送料当社負担でお取替致します。小社宛にお送り下さい。
定価はカバーに表示してあります。

幻冬舎文庫

ISBN4-344-40403-3　C0195　さ-7-3